JEWEL FENG SHUI

宝石風水ですべてうまくいく!

身につけるだけで
運気UP

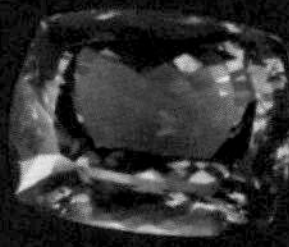

Clover
クローバー出版

幸運を
引き寄せる
五行の宝石

Wood 木の宝石

エメラルド

クレオパトラが愛した
エメラルドグリーン（p81）

パライバトルマリン

ネオンブルーの輝きは
「青い地球」の色（p82）

グリーンガーネット

透明感あふれる
緑色が清々しい（p83）

ヒスイ

東洋で愛されてきた
神秘の宝石（p81）

ペリドット

古代エジプトで
愛された美しい輝き（p83）

グリーントルマリン

見ているだけで
心安らぐ癒しの宝石（p82）

Fire
火の宝石

ルビー

情熱のレッドが
免疫力を高める(p84)

ピンクサファイア

鮮やかなピンク色が
気持ちを明るくしてくれる(p85)

クンツァイト

清楚でありながら、
力強いエネルギーを放つ(p86)

インカローズ

バラのように華やかな
輝きを放つ(p84)

パパラチアサファイア

ピンクとオレンジの
中間色が愛らしい(p85)

アンデシン

力強いエネルギーで
人を輝かせる(p86)

Soil
土の宝石

ブラックオパール

虹色に浮かび上がる
模様はとても個性的（p87）

アレキサンドライト

太陽光と白熱灯の下では
色合いが違う（p87）

スフェーン

虹色の輝きを放ち、
心身の不調を改善（p88）

イエローサファイア

良い出あいやチャンスに
導いてくれる（p89）

レッドスピネル

ルビーに似た
真っ赤な宝石（p89）

スファレライト

光をあてると虹色に輝き、
運気を高める（p88）

Gold
金の宝石

スペッサータイトガーネット

種類はオレンジ色から
マンダリンオレンジ色まで（p90）

バイオレットサファイア

紫色に輝き、喉や気管支に
働きかける（p92）

オレンジサファイア

色の濃いオレンジ色が
印象的（p91）

ルベライト

強さと情熱を与え、
やる気と気力を高める（p92）

ロードライトガーネット

深い赤に紫をおびた
美しい宝石（p90）

イエローダイヤモンド

黄金色に光り輝き、
運気を高める（p91）

Water 水の宝石

タンザナイト

運気を高める龍の宝石。
心身のバランスを整える(p93)

アクアマリン

透き通ったブルーが
印象的(p95)

デマントイドガーネット

ロシアの皇帝や
貴族たちに愛された(p95)

カイヤナイト

海底のような
深いブルー(p94)

アウイナイト

ドイツ・アイフェル鉱山でのみ
産出されるレアストーン(p94)

ブルーサファイア

英国王室で代々
受け継がれてきた宝石(p93)

悟りをサポートする宝石

ハイアライト

自分の境界線を
無限に広げてくれる
新時代の宝石(p118)

オレゴンサンストーン

太陽と月のエネルギーを
併せ持つ宝石(p122)

スキャポライト

カルマやトラウマを
一瞬で取り去り、
さまざまな症状を改善(p119)

グレースピネル

因果から解き放し、
自由に生きることを
サポート(p120)

はじめに

はじめまして！　幸運研究家の岡安美智子です。

私が「風水の陰陽五行」と出あったのは会社勤めをしていたころ。幼少時代から、借金を肩代わりし問題を抱え苦労していた両親を見ていて、安心してもらいたいという気持ちから、独立して家を購入することが大きな目標となりました。

家を購入するなら、少しでも良い条件で手に入れたいと思いますよね。方位、間取り、引っ越しの日取りなど……。そんな希望を叶えるべく解決策として出あったのが風水でした。風水といえば「氣（エネルギー）」をイメージする人が多いと思いますが、「氣」は目に見えるものではないので、なかなか体感しにくいもの。

でも、私たち日本人が使う漢字には、「氣（気）」のついた文字がたくさんあります。

大気、元気、空気、気持ち、気配り、電気、気品、気力……。

これらのほとんどは目で見ることはできませんが、生きていくなかで、どれも重要だったりします。すなわち、目には見えないけれど、たしかに存在する「氣（生命エネルギー）」を人生に上手く活用できれば、願いを現実に引き寄せることが可能になってくるのです。

風水では、自然界に存在するすべてのものに、「氣」があると考えます。その「氣」を住まいに呼び込み、体の中に取り入れて、調和しながら生活することを基本としています。

したがって、「良い氣」がたくさん入ってくれば、その人は元気でハッピーになれますし、「悪い氣」が流れていれば、知らないうちに悪い影響を受けてしまうというわけです。

本書は「良い氣」を呼び込むために、風水の法則を取り入れながらまずは自分自身を知り、自分に必要な「氣」を宝石のエネルギーによって補うことで、あなたの中に眠る無限の可能性を開くための本です。

では、なぜ「風水の陰陽五行」と宝石なのでしょうか？

宝石は、何万年、何億年という時を経て地球で育まれてきたエネルギーの結晶です。人類、地球がこれまでにない変化の時を迎えている今、私たちは大きなエネルギーを必要としています。その必要としている力強いエネルギーを秘めているのが、宝石なのです。

私たちの歴史はこれまでずっと争いの歴史でした。時代が変わって文明が進化しても、人と人とが争う構造そのものは今も変わりません。「勝ち・負け」

「敵・味方」という1対1の争いの境界線は、現代社会において、ますます浮き彫りになり、関係性の分断を生んでいます。この1対1の争いの構造を変化させ、問題を解決する鍵が五行の五つの関係性にあるのです。

また、これまで物をつくり生活を支えてきた物質社会が終焉《しゅうえん》を迎え、これからの240年間は風の時代が続くといわれています。風のキーワードはコミュニティー、インターネット、革命……。

2020年には、人生や働き方、自分に対しての在り方、生き方自体の見直しをせざるを得ないパンデミックが起こりました。そして、私たちの心は大きく揺さぶられ、生活にも大きな変化が訪れました。でも、くよくよと心配ばかりしてはいられません！

これからの時代をより自分らしく、人生を謳歌《おうか》する方法として、古来から伝わる五行に秘められたパワーを、新しい形でお伝えできるのはとても光栄なことです……。

人類の歴史を地球の中でずっと見守ってきた宝石たちのエネルギーを使って、あなたの人生がこれからどのように花開いていくのか、楽しみにしていてくださいね！

さて、ここで少しだけ私の活動についてお話しいたします。

私は現在、「一般社団法人　日本フラワー風水協会」の代表理事を務めています。主婦からフラワーアレンジメントで起業し、オリジナルの「フラワー風水」を創始。ＬＡの「オーロラファンデーション（オーロラ基金）」で日本人初のグランプリを受賞しました。

「オーロラ基金」はアメリカで日本語教育に携わる教師または大学院生の支援・育成を目的として、１９９８年に設立された非営利団体です。

2003年に、このオーロラ基金設立5周年を記念し、特別企画として設けられた「オーロラ・スペシャル・チャレンジ・グラント」で、ユニークな夢を抱いている日本在住の日本人として、グランプリをいただいたのです。

帰国後、「フラワー風水」に続いて「花曼荼羅《はなまんだら》®」の資格制度を創設し、現在では全国に300名の認定講師が活躍しています。

2015年に「宝石界のレジェンド」と呼ばれる岡本憲将氏と出あい、自分のエネルギーに合った宝石を引き合わせる「ジュエリーエネルギーアドバイザー」になりました。

岡本憲将氏は宝石商として世界中の鉱山へ足を運び、日本の宝石業界に流通の革命を起こした方です。長く宝石に携わるなかで、宝石が私たちの心と体と魂を癒《いや》してくれる、特別なエネルギーを宿していることに気づき、独自の研究を続けてきました。

ジュエリーエネルギーアドバイザーによって、自分にぴったりな宝石と出あった人たちがみるみると輝き、人生が変化していくのを見ていると、宝石にはとてつもない神秘な力が宿っているのだと実感します。
私はこれまで多くの講座やセミナーを開催してきましたが、どの講座よりも宝石を持った人からの感謝のフィードバックが多いのには、驚きを隠せません。

より多くの方々に宝石のエネルギーを知っていただき、その力を活用して、身体的にも精神的にも経済的にも、そして健康で幸せな輝かしい人生を送っていただきたいと思います。

この本を通して、一人でも多くの人たちに、宝石の新たな魅力をお伝えできたら嬉しいです！

岡安美智子

Contents

Chapter 3

■ 宝石が持つエネルギーの秘密

Chapter 1

幸運を呼び込む「新・陰陽五行」

「新・陰陽五行」って何？

「陰陽五行」とは、中国の春秋戦国時代に生まれた古い思想で、宇宙の万物はすべて「陰」と「陽」に分類され、自然界に存在する万物は「木・火・土・金・水」の五行で構成されており、それぞれが融合し宇宙が成り立つとされています。

これからご紹介する「新・陰陽五行」は、人類が歩んできた物質世界で使われてきた働きではなく、人類が進化成長する課程において、チームとして助け合うという繋がりの観点から読み解く新しい五行です。

五行にはそれぞれが持つ、次のような特徴があります。

木
樹木が成長して、
育成、発展する
火
火のような情熱、
灼熱を表す
水
変化変容し、
流れを生み出す
金
金属のような
堅固、輝き
土
大地が万物を保護し、
基盤を固める

木……樹木が成長して、育成、発展する様子。
火……火のような情熱、灼熱を表す様子。
土……大地が万物を保護し、基盤を固める様子。
金……金属のような堅固、輝きの様子。
水……変化変容し、流れを生み出す様子。

五行にはこれらの特徴のほか、お互いの関わりのなかでエネルギーを強めたり、弱めたりする関係性があります。

それではイメージと理論を使い、五行の関係性について理解を深めていきましょう。

まず、頭の中で樹木をたくさんイメージしてください。

木肌と木肌が触れ合うほど、たくさんの「木」が存在しています。

そこに風が吹いてきました。その風に揺れながら木肌から摩擦《まさつ》が起こり、煙が出てきました。そして、「火」が生まれます。

「火」は樹木を燃やし炎となり、どんどんと燃え上がっています。やがて燃え尽きた樹木は灰となります。

灰となった樹木は、大地の「土」に還《かえ》ります。

土の中では長い歳月をかけて、さまざまな鉱物や「金」が形成され、生み出されます。

地上に出た「金」は表面が冷えて、水滴を生み出します。

「水」は「木」を育成し、成長していきます。

このように自分から生み出す関係を「相生《そうしょう》」といい、同時に相手を強める仕組みを持ち合わせています。

相生

木肌と木肌が触れ合うほどの
たくさんの「木」
そこに風が吹いてくる
その風に揺れながら木肌が摩擦
煙が出る
「火」が生まれる

「火」は樹木を燃やし炎に
どんどんと燃え上がる
やがて燃え尽き灰になる
灰となった樹木は「土」に還る
土の中で「金」が形成される
地上に出た「金」は水滴を生み出す
「水」は「木」を育成し、成長する

「陽」があれば「陰」があるように、相手を弱める「相剋《そうこく》」という関係性も同時に存在します。

では、次にストーリーを使って五行の理論を深めていきましょう！

それでは、イメージしてください。

ある時、五行でトップバッターを走る「木」は、自分が一番だと勘違いして、鼻が高くなってしまいました。ですが、気がついたころにはカーンと斧（金属）で一撃を受け、倒されてしまいます。

斧（金属）は、トップバッターの「木」を倒したと有頂天になっていたとき、とても熱くなって気がついたときには溶けて「金」の存在がなくなってしまいました。

熱くメラメラと燃え上がった「火」は、堅固な「金」を溶かしたぞ、と自慢げになった瞬間、一瞬のうちに「水」に消されてしまいました。

燃え上がる炎を消した「水」は、我こそが一番と、自分の存在を特別扱いし始めました。すると、「水」の流れを止める大きな岩（土）が出てきて、循環しなくなり、機能停止に。

そして、「土」は思います。「すべての流れを止めた自分の力は最強だ！　領土を持ち、広げることこそ、最高の勲章だ」と。すると、「土」の中からメキメキと新たな「木の芽」が出て、「土」の栄養を搾取《さくしゅ》し、成長していきました。

相剋とは、このように相手のエネルギーを奪う関係性をいいます。

たとえば、人間関係でうまくいかないことや、苦手だと思っている人とは相剋の関係性を持っているケースがよくあります。

相剋

五行でトップバッターを走る「木」

カーンと斧（金属）で一撃を受ける

とても熱くなり、溶ける「金」

熱くメラメラと燃え上がった「火」

燃え上がる炎を消した「水」
「水」の流れを止めた大きな岩（土）
新たな「木の芽」が出て、「土」の栄養を搾取

さて、相剋ストーリーを通して、何か感じたことはありませんか？
これまで人類が形成してきた分離や格差社会は、相手を剋《こく》す関係性であったことに気づくでしょう。

昨年、世界中でコロナが発生し、瞬く間に世界が一つの共通する課題へと直面しました。コロナは国境を越えて、私たちに何を気づかせようとしたのでしょうか。

海外では多くの国がロックダウンに突入し、同時に経済も大きく落ち込み、人類は不安でいっぱいになりました。それでも私たちは生きていかなくてはなりません！

では、私たちにはいったい何が必要なのでしょうか？

調和や協力。助け合うコミュニティー。尊厳や貢献……。

この本を手にとってくださった意識の高いあなたは、それが相手を強め生かし合う循環の関係性であり、相手を弱め奪い合う関係ではない。自分や相手の弱いところを、得意な人や物が補いサポートする。そんな相生の関係性が必要だと気づいたはず！

相生は以前から存在していた仕組みですが、ここであらためて意図的に使うことで、新たな関係性を生み出すことができるのです。これを「新・陰陽五行」と呼びます。

エネルギーは意図して使う場合と、そうでない場合とでは動き方がまるで異なります。意図するからこそ、エネルギーを自在に動かし引き寄せ、現実を創造させる力があるのです。

Chapter 2

最強の運気を引き寄せる！

幸運をもたらす五つのパワー

五行にはそれぞれが持つ特徴があり、人の性格や考え方と無関係ではありません。五行を通して、自分の性格や健康のほか、五行バランスを整えるパワースポットやハーブ、最強の運気を導く宝石などを知ることができます。

また、なんとなく不調なときやエネルギーアップしたいときなどは、自分の五行から導いたラッキーカラーやアロマ、フラワー風水などを取り入れることで、幸運を導くアイテムとしてあなたの味方になってくれます。

それでは、まずは自分の五行を知ることから始めてみましょう。

ラッキーカラー

フラワー風水

アロマ

あなたの五行を調べてみましょう

あなたの五行は、生年月日から調べることができます。まずは、基本運命数を計算します。

巻末の「陰陽五行の早見表1」で、あなたが生まれた年と生まれた月が交差している数字を見つけましょう。その数字に生まれた日を足したものが、あなたの運命数です。ただし、運命数が61以上になった場合は、60を引いた数字が運命数になるので注意してください。

次に、「陰陽五行の早見表2」から自分の運命数を探します。そこに書かれた「木」「火」「土」「金」「水」のいずれかがあなたの五行になります。五行がわかったら、さっそくその特徴について見ていきましょう。

五行の出し方

例1 1967年（昭和42年）3月15日生まれの人

0（早見表1）＋15（生まれた日）＝15　運命数は15

15（早見表2）＝土

五行は「土」

例2 1981年（昭和56年）2月17日生まれの人

46（早見表1）＋17（生まれた日）＝63

63－60＝3　運命数は3

3（早見表2）＝火

五行は「火」

① 巻末の「陰陽五行の早見表1」で、生まれた年と生まれた月が交差する数字を見つける。
② ①の数字に生まれた日を足す（運命数）。ただし、61以上になったときは60を引く。
③ 「陰陽五行の早見表2」で運命数を探し、そこに書かれている五行があなたの五行である。

木の人の特徴

伸び伸びとしてパワフルな「木」のあなたは、仕事でも家庭でも中心となって頑張るタイプ。でも、自分の思い通りにいかないことがあると、ついカッとして不機嫌になりがちに。

また、目標達成や発展を望むがゆえに、ストレスが溜《た》まって自律神経に影響を受けやすくなります。できるだけストレスを抱えないよう工夫が必要です。

イライラして怒ってばかりいると、肝や胆をいためやすく血液の循環が悪くなって、肩こりや目の疲れが出やすくなるので気をつけましょう！

パワースポット

▶森林・高原・花畑

▶ビルベリー・ローズヒップ・レモンバーム

ハーブ

アロマ

▶カモミール・スィートオレンジ・ベルガモット

ラッキーカラー

▶緑・青

宝石

▶エメラルド・ヒスイ・パライバトルマリン・グリーントルマリン・グリーンガーネット・ペリドット

気をつけたい食べ物

▶辛いもの（肝・胆・目をいためる）

火の人の特徴

ふだんは明るく元気でよく笑う「火」のあなたは、実はちょっとしたことで不安になったり悲しんだりすることがあります。喜怒哀楽が激しいため、身のまわりの出来事で心に負担がかかりやすくなり、動悸、息切れ、赤ら顔になることも。
季節では夏と関係が深く、汗をかきやすい体質です。夏バテや睡眠不足から体調不良を起こしやすいので、日頃から深い呼吸を心がけ、体に十分な酸素を送り込むよう気をつけましょう！

パワースポット

▶情熱的な場所・温泉・サウナ

ハーブ

▶マリーゴールド・セージ・シナモン

アロマ

▶イランイラン・ティートリー・
ローズマリー

ラッキーカラー

▶赤・ピンク

宝石

▶ルビー・インカローズ・パパラチアサファイア・
ピンクサファイア・アンデシン・クンツァイト

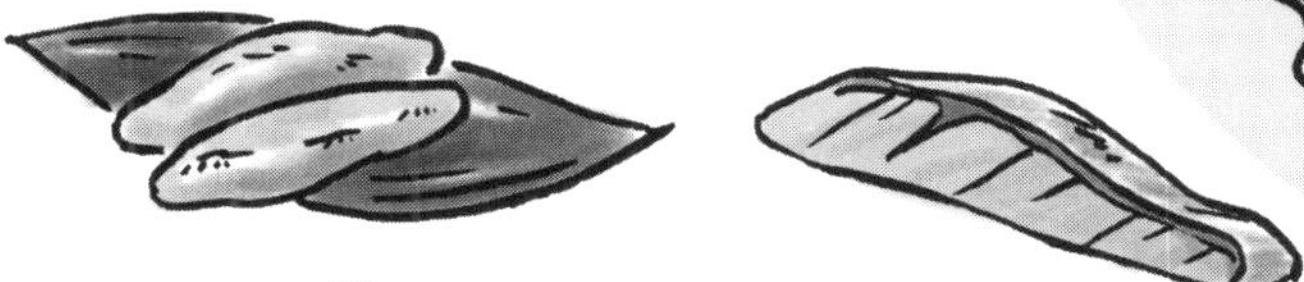

気をつけたい食べ物

▶塩辛いもの（心・小腸をいためる）

土の人の特徴

パワースポット ▶公園・山・大地

はっきりとした意志を持つ「土」のあなたは、物事をうまく組み立て、いろいろな知識を吸収できます。また、ものを生み出し育成して、稼ぐパワーも旺盛です。
その反面、小さなことでくよくよ悩む傾向もあり、それによって胃に負担をかけてしまいがちに。ストレスを解消するために暴飲暴食に走り胃腸をこわしたり、ストレス性の下痢になる人も多いので注意が必要です。
日常生活においては、腹八分目で規則正しい食生活を心がけ、胃腸への負担を軽くする工夫をしましょう！

ハーブ ▶フェンネル・カモミール・ジンジャー

アロマ

▶サンダルウッド・フランキンセンス・クラリセージ

ラッキーカラー

▶黄

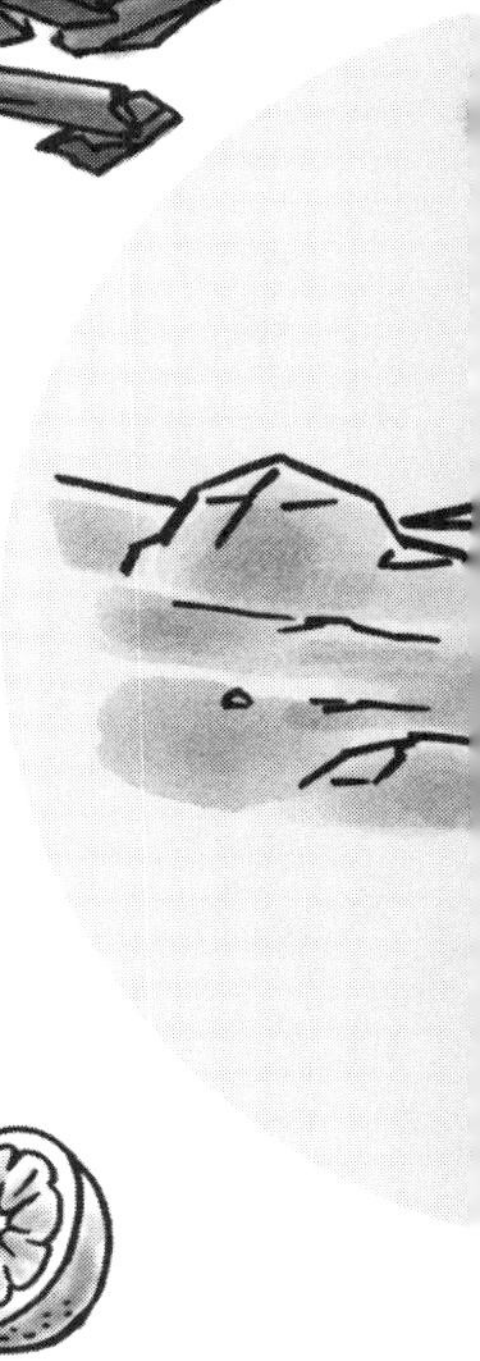

宝石

▶ブラックオパール・アレキサンドライト・スフェーン・スファレライト・イエローサファイア・レッドスピネル

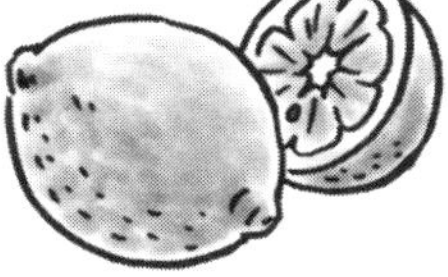

気をつけたい食べ物

▶酸っぱいもの（脾臓・胃をいためやすい）

金の人の特徴

決断力があり、行動力に溢《あふ》れた「金」のあなたは、必要なものと不要なものを切り分ける能力があり、ふんぎりの良さが特徴の一つです。

また、人の気持ちに敏感で感受性が豊かなため、人の悲しみや苦しみを引き受け、落ち込んでしまうことも少なくありません。深い悲しみは肺と大腸を刺激して、気管支をいためます。

そのため、喘息やアトピーといったアレルギー体質を持つ人も多いようです。日頃から、発散、発汗、気血のめぐりを良くすることを心がけましょう！

パワースポット

▶スタイリッシュな場所・美術館・宝石店

ハーブ

▶エキナセア・レモングラス・ペパーミント

アロマ

▶シダーウッド・ジャスミン・ユーカリ

ラッキーカラー

▶白

宝石

▶スペッサータイトガーネット・
ロードライトガーネット・
イエローダイヤモンド・
オレンジサファイア・ルベライト・
バイオレットサファイア

気をつけたい食べ物

▶苦いもの（肺・大腸をいためやすい）

水の人の特徴

▶海・湖・月光浴

パワースポット

思考力や直感力がある「水」のあなたは、細かいことに「氣」が向き、「氣」が旺盛となっているときには、新しいことにどんどんとチャレンジできます。
反面、バランスを崩しているときは、グズグズ、なよなよしてしまい、せっかくのチャンスを逃してしまうことも多々あります。
また、恐怖心が腎を傷つけ、膀胱の経路が滞りやすくなります。
バランスを崩すと毒素を排出する力が弱まり、疲れやすくなったり、むくみやすくなるので、なるべく体を冷やさないよう心がけましょう！

▶ローズウッド・ネトル・ダンデライオン

ハーブ

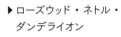

アロマ

▶ジュニパーベリー・タイム・
ゼラリウム

ラッキーカラー

▶黒・紫

宝石

▶タンザナイト・ブルーサファイア・
アウイナイト・カイヤナイト・
アクアマリン・デマントイドガーネット

気をつけたい食べ物

▶甘いもの（腎臓をいためやすく、浮腫になりやすい）

今、あなたに足りない五行は?

五行は、今の体の状態から調べることもできます。

生年月日は一生変わらないデータですが、私たちの体は日々変化していま す。食べたもので体はつくられますし、ストレスなどの影響により心にも変化が生じます。中国医学の診断法の一つ、「望診法《ぼうしん》」を活用すれば、今の体の状態から、どの五行がバランスを崩しているのか知ることができます。

自分に足りない五行がわかれば、今までうまくいかなかった理由がわかり、運気を補うことで思った通りの人生を引き寄せる手助けとなります。

50～59ページのチェックリストで、今の体の状態をチェックしてみてください。合計数が多かった五行が、今のあなたに足りない五行です。

五行と望診法

五行	木	火	土	金	水
五臓	肝	心	脾(膵)	肺	腎
	肝臓・情緒系中枢　自律・運動神経系	心臓と循環器系　大脳皮質の働き	消化器系	呼吸器系 皮膚	泌尿器系・生殖器系・神経系・ホルモン系・免疫系・カルシウム代謝
五腑	胆	小腸	胃	大腸	膀胱
五根	目	舌	唇	鼻	耳
	眼精疲労・ 白内障	舌の 先端部異常	唇が切れる	鼻炎・喘息・ 温診	耳の痛み・ 難聴・耳鳴り
五主	筋・爪 爪欠けやすい・筋がつる	血脈	唇・肌肉	皮膚・毛 皮膚炎	骨・髪 毛髪白髪・ 禿骨の異常
五志	怒	喜	憂	悲	恐
	怒りっぽい・ おどおど	笑い上戸	心配性・ マイナス思考	涙もろい	無気力・ 怖がり
生理現象	シミ・ソバカス 足の筋がつる 食欲不振	冷や汗	口が渇く ニキビが 出やすい	しゃっくりを よくする 咳が出る	あくびが多い シワが できやすい
体の痛み	頭から首筋が痛い　右の肩こり　腹部の左が痛い	胸が痛い 腕の関節が痛い　胸の下あたりが痛い	背骨を中心に 背中が痛い 足のつけ根が痛い　へその上が痛い	肩こり 背中が痛い 腹部の右あたりが痛い	腰を中心に痛い　膝に力がなくガクガクする　へその下が痛い
五味	酸っぱさ	苦さ	甘さ	辛み	鹹(塩辛さ)
五禁	辛(シン)	鹹(カン)	酸(サン)	苦(ク)	甘(カン)
	肝・胆・目をいためる　氣の疾病では氣が消耗	心・小腸を いためる 血圧を上げる	膵膽・胃をいためる　筋の病気では多食は害	肺・大腸・鼻を いためる	腎職・勝騰をいためる　浮腫になりやすい
穀物	麦	黍	粟	稲	小豆
アロマオイル	ローマンカモミール、ジャーマンカモミール、スイートオレンジ、ベルガモット	ネロリ、イランイラン、ティートリー、ローズマリー	サンダルウッド、フランキンセンス、マージョラム、カルダモン、クラリセージ	ヤロウ、ヒソップ、シダーウッド、ユーカリ、ジャスミン	ゼラリウム、タイム、ジュニパーベリー、サイプレス
ハーブ	ビルベリー、 ローズヒップ、 レモンバーム	マリーゴールド、セントジョーンズワート、セージ	フェンネル、カモミール、ジンジャー	エキナセア、レモングラス、ペパーミント	ローズウッド、ネトル、ダンデライオン
フラワーレメディー	チェストナットバッド(判断力)クレマチス(集中力)	パイン (許し) ワイルドローズ (除熱)	レッドチェストナット(安心感) ウォルナット (平常心)	インパチエンス (忍耐力) セントーリー (自己主張)	アグリモニー (本心) アスペン (安らぎ)
ラッキーカラー	緑	赤、ピンク	黄、オレンジ	白	紫、青

望診法とは東洋医学の診断法の一つで、顔や体を観察することで健康状態がわかるチェック方法。

[木]

Wood

- [ ] イライラして怒りっぽい
- [ ] 手足がつりやすい
- [ ] 目の疲れや視力低下が気になる
- [ ] 爪がもろい
- [ ] 頭痛、めまいがする
- [ ] 肩こりがひどい
- [ ] 不眠症
- [ ] 下痢や便秘を繰り返す
- [ ] お腹が張りやすい
- [ ] 酸っぱいものが好き

計　　点

「木」のエネルギーが強く出てしまい、バランスを崩している状態のときは、五行の相剋の仕組みを使い、自分の五行を整えます。「木」を剋するのは「金」なので、望診法を見て、金のアロマやハーブでイライラなどをコントロールし、白い洋服やフラワー風水などを飾ることでリラックスできる環境をつくりましょう！

[火]
Fire

- [ ] 笑ってごまかすことが多い
- [ ] 貧血になりやすい
- [ ] 動悸、不整脈、息切れがある
- [ ] 口内炎ができやすい
- [ ] よく夢を見る
- [ ] よく汗をかく
- [ ] 緊張すると赤ら顔になる
- [ ] 暑いのが苦手
- [ ] 便が硬め
- [ ] 苦いものが好き

計　　点

「火」のバランスがくずれたとき、つい張り切って無理をしてしまう傾向があります。そんな熱く頑張り屋の「火」のエネルギーを剋するのは「水」。海や温泉へ行ったり、ロマンティックな映画を観るなど、ゆったりとした時間を過ごす習慣を取り入れてみましょう！

［土］
Earth

- □ 心配性でくよくよと悩みすぎる
- □ 胃腸が弱い
- □ むくみやすい
- □ 疲れやすい
- □ 暴飲暴食に走りやすい
- □ 唇があれやすい
- □ 顔色が黄色っぽい
- □ 手足が冷えやすい
- □ 胃痛がある
- □ 甘いものが好き

計　　　点

「土」のバランスがくずれたときは、ストレスで疲れやすく暴飲暴食が増えているのかも。そんなときは胃腸が弱くなっているので、緊張をほぐしながら、消化に良い胃に優しい食べ物を選んで食べましょう。また、人に気を使いすぎてしまう「土」の人には、ラッキーカラーの黄色やオレンジ色を身につけることで、自分の中の太陽が輝きますよ！

[金]

Metal

- □ 悲しくなり、涙もろい
- □ 風邪を引きやすい
- □ 咳や痰が出やすい
- □ 熱を出しやすい
- □ アトピー、喘息《ぜんそく》がある
- □ 寝汗をかきやすい
- □ 喉が弱い
- □ 花粉に敏感
- □ 肌が乾きやすい
- □ 辛いものが好き

計　　　　点

「金」のエネルギーが多すぎる人は、気管支系が弱く肌にトラブルを起こしやすくなります。お部屋の換気や湿度に気をつけて環境を整えることが大切です。つい悲観的になり自分を責めがちになるので、そんなときはアロマオイルやハーブ、レメディーなどを積極的に取り入れてバランスを整えましょう!

[水] Water

- □ 無気力で怖がり
- □ 寒さが苦手
- □ 足腰がだるく腰痛になりやすい
- □ むくみやすい
- □ 生理不順
- □ 関節痛がある
- □ 骨がもろい
- □ 抜け毛、白髪が多い
- □ トイレが近い
- □ 塩辛いものが好き

計 点

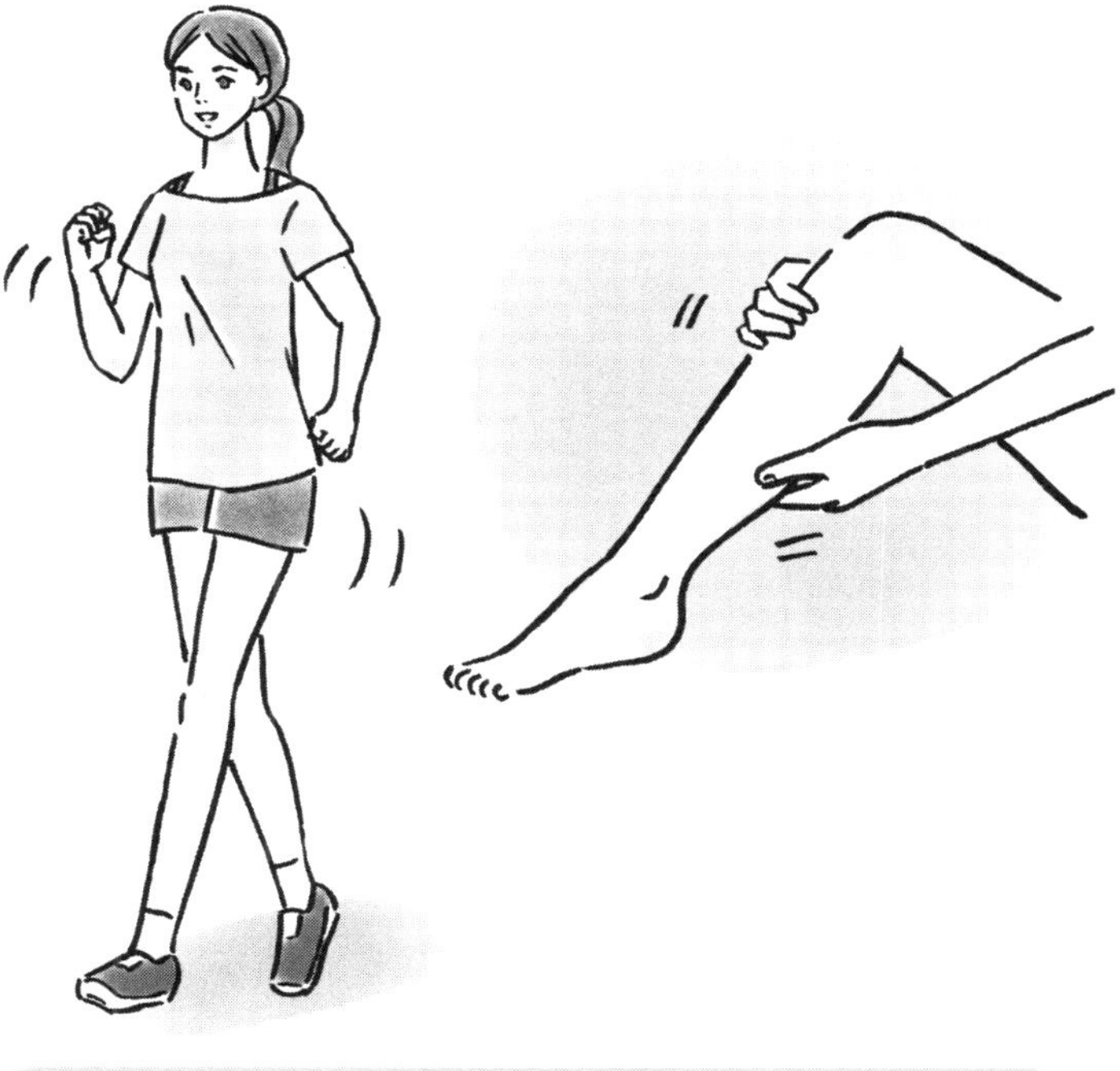

「水」のバランスをくずしているときは疲れが下半身にたまりやすく、氣の循環が悪くなっています。なんとなくだるくてやる気が出ない場合は、体を積極的に動かし氣の巡りを良くしましょう。また、アロマオイルを使ってふくらはぎをマッサージして氣詰まりを緩和し、血行を促進しましょう！

Chapter 3

宝石が持つエネルギーの秘密

宝石の四つの価値

「宝石」と聞いて、皆さんはどのようなイメージを持たれていますか？

植物の香りや食べ物、大地の力など、五行は地球で生み出された、さまざまなエネルギーを取り入れます。そのなかでも、太古の地球で生まれた宝石は、もっとも強いエネルギーを秘めたものの一つだと私は感じています。


宝石には本来、四つの価値があるといわれています。

それは、「美しさ」「装飾性」「財産性」、そして「エネルギー」としての価値です。前者三つは一般にも知られていますが、四つ目のエネルギーとしての価値は、近年ほとんど重要視されてきませんでした。しかし、宝石のエネルギーは長い歴史のなかで、実は人類と密接に関わりを持っていたのです。

宝石は昔から神秘的な力を秘めたものとして、世界中の王やシャーマン（呪術・宗教的職能者）が身につけてきました。彼らにとって宝石は、自分の身を護《まも》り、正しいインスピレーションを与えてくれる、なくてはならないものでした。古代の人々は植物、動物、鉱物など、地球が与えてくれる自然のエネルギーを取り入れながら生きていたのです。

世界中の王や王女が身につけていた王冠やティアラ、剣や盾には、たくさんの宝石があしらわれています。これは権力の象徴のように思われていますが、それだけではありません。王や王女たちは、宝石が直観力を高め、身を護り、潜在能力を高める特別な力を秘めていることを知っていたのです。

しかし近代化が進むにつれて、人々は目に見えないエネルギーから次第に離れていきました。そして、鉱物、宝石のエネルギーも忘れられてしまったのです。

近年、日本ではパワーストーンのブームもあり、「石には何か特別な力がある」と聞いたことがある方も多いかもしれません。しかし、多くの人は宝石のエネルギーを、迷信やご利益信仰的なものにすぎないと思っているのではないでしょうか。

ここでは、人類が忘れてしまった宝石の真の価値、私たち人間の心や体を癒してくれる宝石の「エネルギー」としての役割についてご紹介したいと思います。

宝石のエネルギーと私たちの相性

数千万年から数十億年という長い長い年月をかけて、地中で育まれた宝石。

地球の、そして宇宙のはかり知れない特別なエネルギーを秘めている宝石は、自然が生み出した天然の鉱物です。

多くの人たちは、植物や動物が自然のものであることを知っていますが、鉱物である宝石もまた、自然が生み出したものであることを忘れがちなのではないでしょうか。

実は、現在地球に存在するもののなかで、植物よりも動物よりも、当然私たち人間よりも遥か昔に生まれていたのが鉱物、そして宝石なのです。

宝石のエネルギーは、地中にある段階ではまだ本来の力が発揮されていないものがほとんどです。多くの宝石は、原石が掘り出されて、研磨されることで、大きな力を発揮するようになります。

宝石は、私たちの心や体を癒したり、運気を高めたり、人生をより豊かにするさまざまなエネルギーを持っています。

なぜ、宝石にはこのようなエネルギーがあるのでしょうか。ちょっと難しく感じるかもしれませんが、科学の観点から簡単にご説明したいと思います。

現在、科学の世界では１１８の原子が確認されています。そして、地球上のすべての存在、つまり気体・液体・固体・植物・動物・鉱物も、この原子の組み合わせによってできているといわれています。これはもちろん、私たち人間も、そして鉱物である宝石も例外ではありません。

原子はすべて、固有の波動を持っています。少し難しくなりますが、量子力学では、この世界はすべて波動でできているとされています。

量子力学や波動という言葉を聞くと、難しく感じる方もいらっしゃるかもしれませんが、実はとてもシンプルです。

日常生活に置き換えて考えてみましょう。

たとえば、私たちが毎日使っている携帯電話やスマートフォンは、電波という波動を使っています。

電話番号が一番でも違うと、電話は違う人に繋がってしまいますよね。一つひとつの番号に違った波動があるから、正しい番号と繋がることができるのです。

これと同じように、宝石も一つひとつ、そして私たち人間も一人ひとり、皆違った波動を持っています。ですから、宝石の波動と持つ人の波動が共鳴しあったときに、波動のレベルでさまざまな変化が起こるのです。

私たちの体や心が不調なときを波動が下がっているときだとすると、相性の良い宝石は持つ人の波動を引き上げて、体も心も元気にしてくれます。

ここで大切なのは、宝石を持つ際には「自分の波動と共鳴する相性の良い宝石を持つ」ということです。相性の合っていない宝石は、電話番号を間違えているのと同じことですから、体や心への効果も期待できません。

同じ種類の宝石でも、宝石の波動は一つひとつ異なります。たとえば、腰痛にはエメラルドが効果的だからといって、すべてのエメラルドがあなたに合っているわけではありません。

エメラルドのなかでもあなたのエネルギー、波動と共鳴するものを選ばなければ、宝石の本当の力を活用することはできないのです。

では、どうやって自分に合ったエネルギーの宝石を選べばいいのでしょうか。

これも実はとてもシンプルで、あなたに合ったエネルギーの宝石は、左手に乗せると温かさやピリピリ感などを感じます。

肩の力を抜いて、リラックスした気持ちで宝石を左手に乗せてみると良いでしょう。相性の良い宝石からは何かを感じることができますし、逆に相性が合っていないものを乗せると、冷たかったり、何も感じなかったりします。

ご自分ではなかなかエネルギーの違いがわからないという方は、私のようなジュエリーエネルギーアドバイザーがあなたに合った宝石を選ぶ、宝石フィッティングを受けるのもおすすめです。

宝石のエネルギーを受け取るには、お手入れや浄化が大切

宝石のエネルギーを最大限に受け取るために、相性と並んで重要なのは宝石のお手入れ、扱い方です。

大地から掘り出された状態の宝石はピュアですから、多くは人間に良い影響を与えてくれるエネルギーを持っています。しかし、毎日身につけていると、さまざまな場所のエネルギーや、出あう人たちのエネルギーと共鳴して、宝石のエネルギーも本来とは違ってしまい、マイナスの状態になってしまうこともあるのです。

どんなに宝石本来のエネルギーが強くても、マイナスの状態になってしまっ

ては意味がありません。そんなときには、きちんとしたプロセスで浄化を行う必要があります。

これまでに宝石を持ったことはあるけれど、エネルギーを感じたことがないという方は、相性が合っていない可能性、またはきちんと浄化、お手入れがされていない可能性があります。

こまめにお手入れをして、本来の宝石が発するエネルギーを最大限に受け取ることができるようにしましょう。

宝石の浄化方法

【用意するもの】

- 中性洗剤（台所用食器洗剤）
- 透明な器（ガラスまたはプラスチック）
- ティッシュペーパーまたはペーパータオル

①透明な器に八分目ほどの水を入れる。その中に宝石を入れて中性洗剤を5、6滴入れ、6時間以上そのまま置く。

②宝石を取り出して器の水を新しいものに替え、１時間ほど置く。

③宝石のまわりに気泡がついている場合は、まだ浄化が終わっていないので、ステップ①〜②を繰り返す。この手順を宝石のまわりに気泡がつかなくなるまで行う。気泡がつかなくなったら、水から取り出して水気を拭き取る。

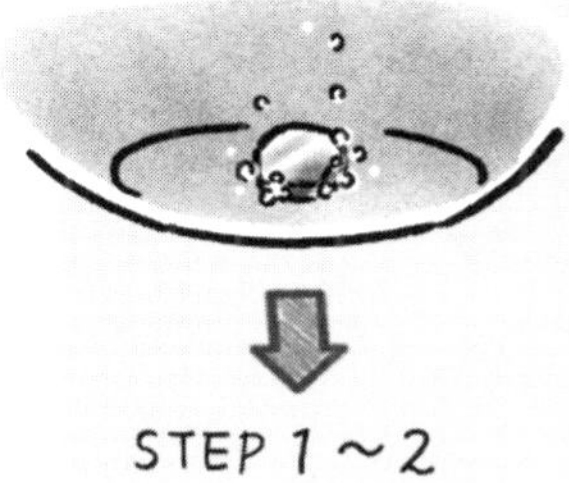

※この方法は水に弱いエチオピアオパール・ステラエスペランサ・トルコ石・真珠などには行わないでください。
※排水溝に宝石を流さないように栓をするなど、十分に注意して行ってください。

体・心だけでなく、魂にも働きかける宝石

原因不明だけれど、ずっと続くモヤモヤした気持ちや、長年続く頭痛・肩こりなどの不定愁訴に悩まれている方は、もしかするとその原因が体や心よりももっと深い、魂の部分にあるのかもしれません。

宝石は私たち人間の波動と共鳴することで、体の不調、心の悩みだけでなく、時には魂が抱える苦しみを癒してくれることもあるのです。

私たちの体・心・魂は、互いに繋がって影響しあっています。体の調子が悪いと心も落ち込んできますし、心に悩みやストレスがあると、体の調子も悪くなってきます。このように、体と心の関係はご自身でも自覚しやすいのではな

いでしょうか。

しかし、魂というものはもちろん目には見えませんし、心のように普段から感じられるものでもないので、よくわからないと思う方も多いことでしょう。ですが、実は心よりももっと深い部分で、無意識のうちに私たちの考えや感情に大きな影響を与えているのが、魂ではないかと思うのです。

「カルマ」という言葉を聞いたことがあるでしょうか。

「カルマ」とは、簡単にいうと私たちの魂が持っている、思いや考え方のパターンのようなものです。たとえば、前世で何か悲しい経験をしていると、同じようなことを無意識で回避しようとする行動をしたり、回避したいと思っていても、その悲しみのエネルギーに引っ張られて、自分ではどうしようもなくなってしまいます。

輪廻転生《りんねてんしょう》や前世といった概念は、信じる人も信じない人もいることでしょう。しかし、信じるか信じないかは別として、時に私たちは今世での経験だけでは説明のつかないような、トラウマよりももっと深い内面的な傷を抱えていることがあるのです。

気球が空中に浮かび上がろうとしている瞬間を思い浮かべてみてください。気球が上がって行こうとしても、重しがついたままでは飛び立つことができませんよね。

カルマは気球についた重しのようなもので、私たちの人生が上に進もうとするときに引っ張って、次のステージへ進むことをはばむのです。

前に進みたい、もっと成功したいという思いはあるのに、なぜかいつも同じようなパターンで上手くいかないという経験をしたことがある方もいるのではないでしょうか。

カルマは、無意識（潜在意識）の深いところで私たちの考え方や行動を生み出す元となって、意識（顕在意識）で思っていることとは違う結果をもたらす原因となるのです。

魂、カルマに働きかけてくれる宝石は、自然と私たちの魂のエネルギーを解き放ち、これまで繰り返していたパターンから自由にしてくれます。

宝石はあなたが本当にやりたいこと、魂が喜ぶことを具現化してくれる、力強いパートナーだと私は思っています。あなたの魂も、宝石のようにキラキラと美しく輝いていることを思い出してみてください。

五行別・あなたを輝かせる宝石

五行は「五臓六腑《ごぞうろっぷ》」や「五志《ごし》」といった、臓器や精神（気持ち）でも分類することができます。私たちは心と体が表裏一体となっており、心が曇っているときは体の不調も起こりやすくなります。

よく「五臓六腑にしみわたる！」という言葉を聞きますが、五臓六腑とは中国医学の考え方で、人間のすべての内臓を表した言葉です。

五臓とは（肝臓、心臓、脾臓、肺臓、腎臓）を表し、六腑とは（胆嚢、小腸、胃、大腸、膀胱、三焦）をさします。

五臓六腑について書かれた最古の文献は、中国最古の医学書『黄帝内径』であるとされ、五行の役割について説明しています。

それでは、五臓六腑に働きかける宝石をご紹介しましょう。

木の宝石

「木の宝石」は自律神経や肝臓、目の疲れからくる頭痛や肩こりなどに働きかける特徴があります。「木」のバランスが崩れると、つい怒りっぽくなり、イライラしてしまいます。そんなとき、自らストレスを緩和して、気持ちをポジティブにするのは難しいですよね。また、怒りや悲しみの原因となるマイナスエネルギーが蓄積したことで起こる、原因不明の不調を改善したいときにも「木」の癒しの力があなたをサポートします。

エメラルド

クレオパトラがこよなく愛したエメラルド。古来より時の権力者がその力を求めた、海よりも深い緑色をした石。
【エネルギーの特徴】目の疲れを癒す、腰痛の緩和、気持ちを落ち着かせるなど。

ヒスイ

古くから東洋で愛されてきたヒスイ。天皇家に伝わる三種の神器の一つ、八《や》尺瓊《さかにの》勾玉《まがたま》もヒスイでできているといわれている。
【エネルギーの特徴】胃腸の調子を整える、運気を高める、自分に自信が持てるようになるなど。

※宝石のエネルギーによるヒーリング効果は個人差があることをご了承ください。

グリーントルマリン

見るだけで心が安らぐ、癒しの宝石。色合いは深い緑からブルーグリーンまで幅広い。

【エネルギーの特徴】 腸の働きを助ける、ストレスを緩和する、心を落ち着かせるなど。

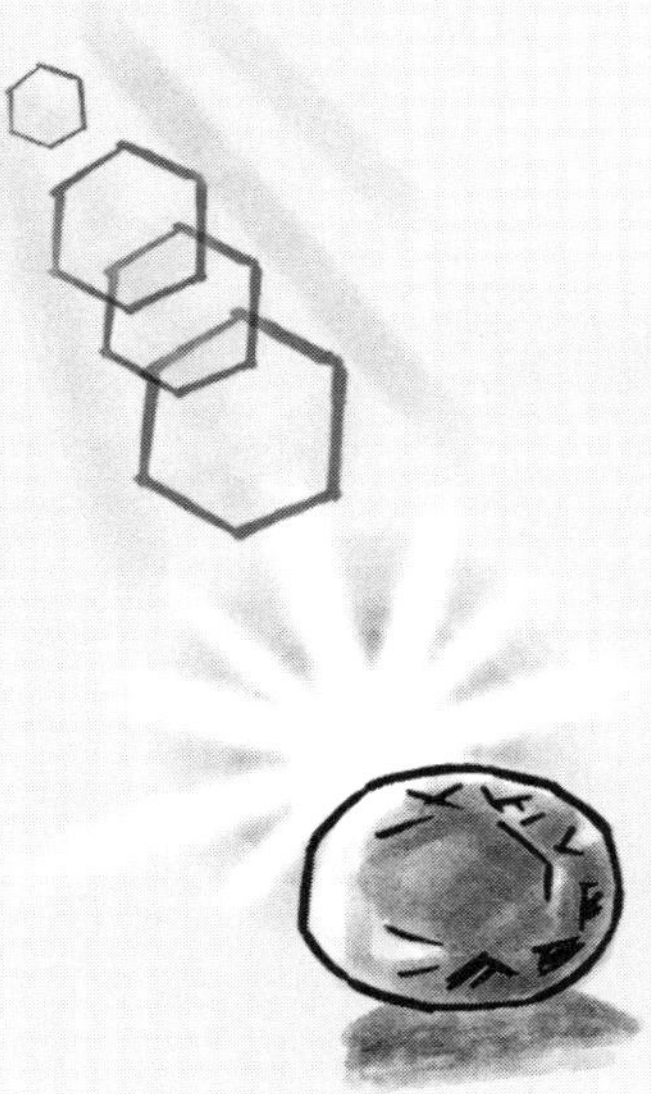

パライバトルマリン

宇宙から見た地球の色とも形容され、美しいネオンブルーの輝きを放つ。その美しさから、世界中で大人気の宝石。

【エネルギーの特徴】 怒りや悲しみの原因となるマイナスのエネルギーを取り去る、胃腸の調子を改善する、頭痛の緩和、解熱、風邪症状の緩和など。

グリーンガーネット

透明感のある清々しい緑色のガーネット。体にも心にも多様に働きかける、パワフルな宝石。
【エネルギーの特徴】 頭痛・腰痛・肩こりの緩和、緑内障・白内障の症状の緩和、生理痛・生理不順・更年期障害など婦人科系の症状の緩和、気持ちを落ち着かせるなど。

ペリドット

美しいオリーブグリーンに輝くペリドットは、古代エジプトでも愛されていたとされる、人類と馴染みの深い宝石。
【エネルギーの特徴】 ストレスの緩和、気持ちをポジティブにする、肩こりの緩和など。

火の宝石

「火の宝石」は心臓と循環器系の働きを良くする特徴があります。血流を良くすることで、冷え性の改善や、免疫力を高めて疲労回復を促進します。また、つい頑張りすぎて無理をしてしまうと、いつの間にか情緒不安定になることも。そんなとき、「火の宝石」で心を癒し、気持ちが明るく元気になることで向上心が高まり、精神的な強さが出てきます。

ルビー

情熱のレッドが瞬時に体のエネルギーを高め、生きるパッションを蘇らせてくれる。四大宝石に名を連ねる石。

【エネルギーの特徴】血流を良くする、冷え性の改善、免疫力を高める、筋肉痛の緩和、気持ちを明るくするなど。

インカローズ

バラのように華やかな輝きを放つインカローズは、心を愛で満たしてくれる。

【エネルギーの特徴】血流を良くする、気持ちが明るくなる、元気が出る、心の傷を癒す、愛情が豊かになるなど。

パパラチアサファイア

ピンクとオレンジの中間のような色合いで、「サファイアの女王」とも称される。パパラチアとは原産国スリランカの言葉で「蓮の花のつぼみ」を意味する。

【エネルギーの特徴】気持ちが明るくなり、元気が出る、血流が良くなるなど。

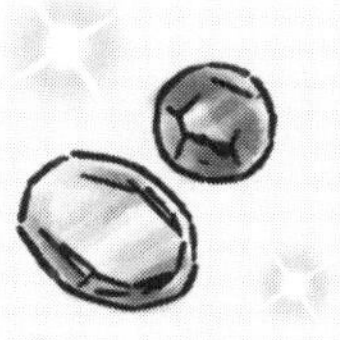

ピンクサファイア

鮮やかなピンク色に輝くサファイアは、見る人の注目を集める宝石。
【エネルギーの特徴】血流を良くする、気持ちが明るくなる、元気になるなど。

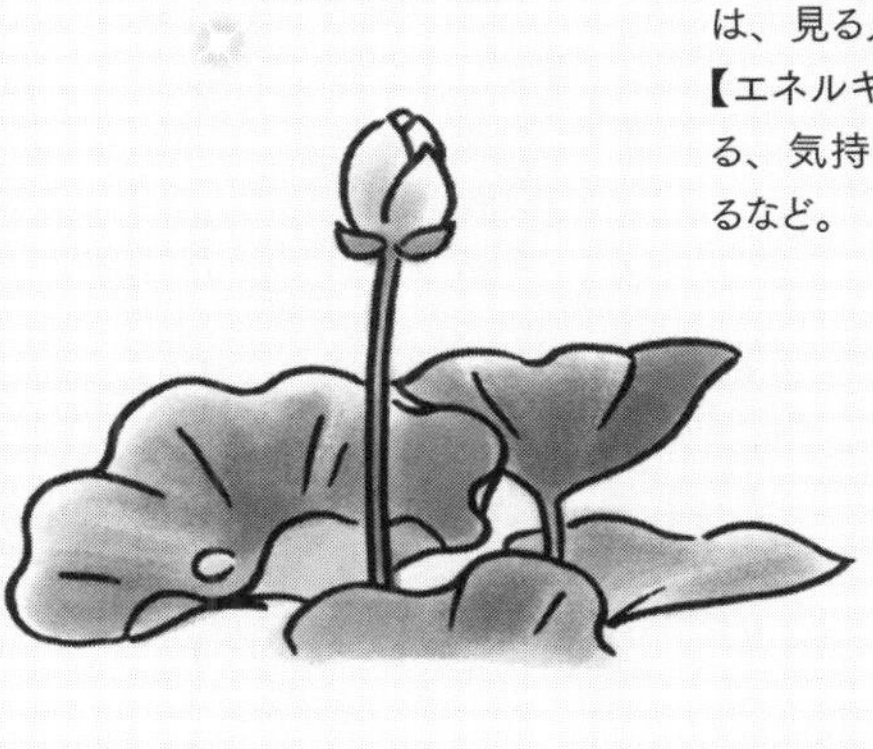

アンデシン

透明感のある赤とオレンジの中間色のようなアンデシン。太陽のように力強いエネルギーで、持つ人のことも輝かせてくれる。

【エネルギーの特徴】気持ちが明るくなる、やる気・向上心が高まる、精神的な強さが出るなど。

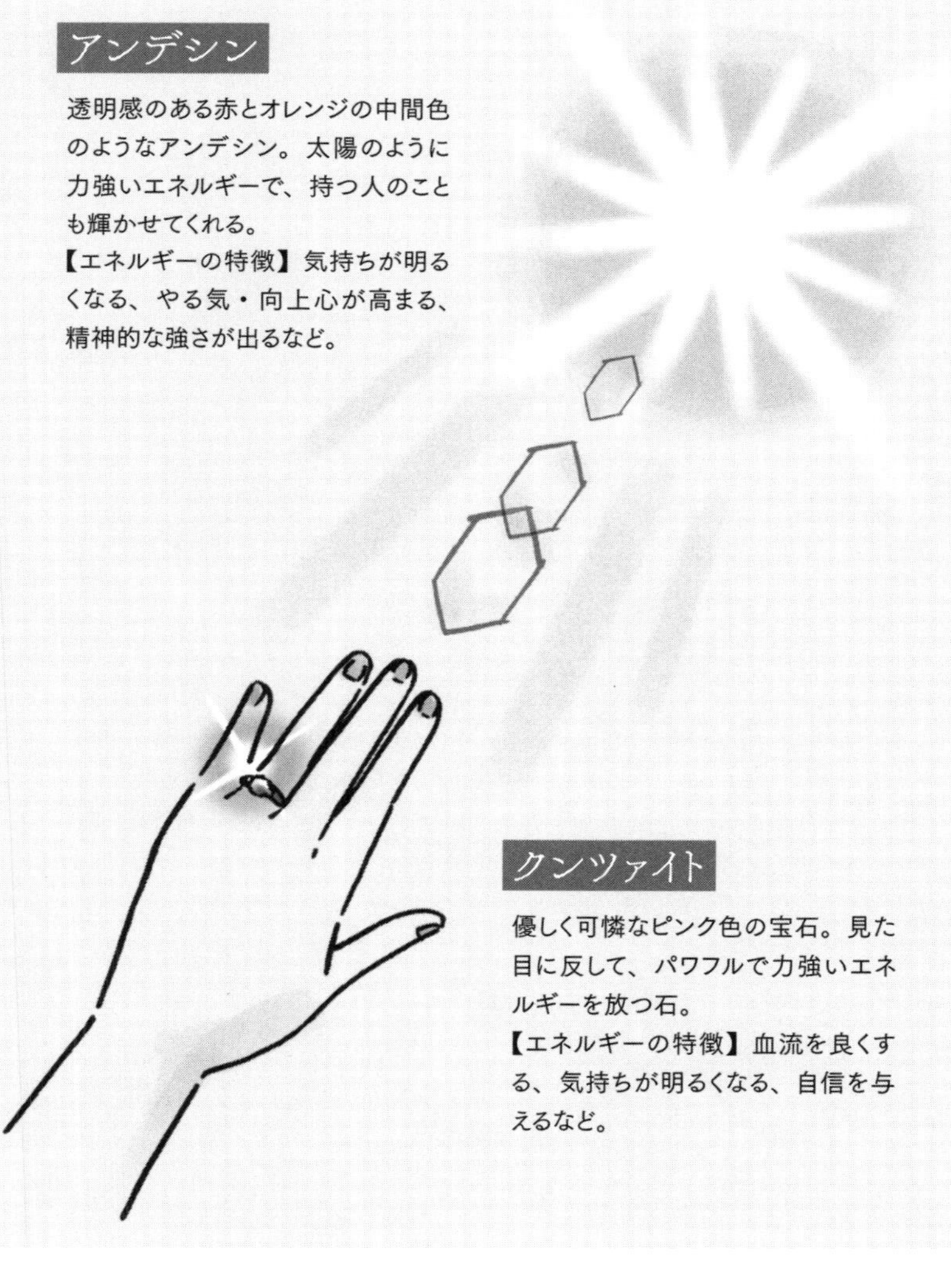

クンツァイト

優しく可憐なピンク色の宝石。見た目に反して、パワフルで力強いエネルギーを放つ石。

【エネルギーの特徴】血流を良くする、気持ちが明るくなる、自信を与えるなど。

土の宝石

「土の宝石」は消化器系の働きを良くする特徴があります。特に胃腸の調子を整え、肉体的な不調を改善するのが得意です。胃腸のほか、丹田《たんでん》（へその少し下のところ）などお腹まわりに働くことで、自信が出て、ぶれない強さが引き出されます。お腹にエネルギーがおさまるので、気持ちが明るくなり、ストレスの緩和や身体全般の不調改善力が高まり、運気がアップします。

ブラックオパール

虹色に浮き出す個性的なエネルギーは、持つ人との相性がとても大切。相性がぴったりな石と出あえた人はラッキー。

【エネルギーの特徴】胃腸の調子を整える、運気を高めるなど。

アレキサンドライト

太陽光のもとではブルーグリーン、白熱灯のもとでは赤く輝く不思議な宝石。その稀少性と神秘的な美しさから､「宝石の王様」と呼ばれている。

【エネルギーの特徴】免疫力を高める､肉体的な不調全般（筋肉の疲れ、関節の痛み、胃腸の不調、目の疲れ、鼻炎、外傷、肩こり、腰痛など）の改善、向上心を高めるなど。

スフェーン

グリーン系、イエロー系、ブラウン系と、色相が幅広い宝石。内側から虹色の輝きを放つ。

【エネルギーの特徴】カルマを浄化し、それに起因する心身の不調を改善する、精神的な強さを引き出すなど。

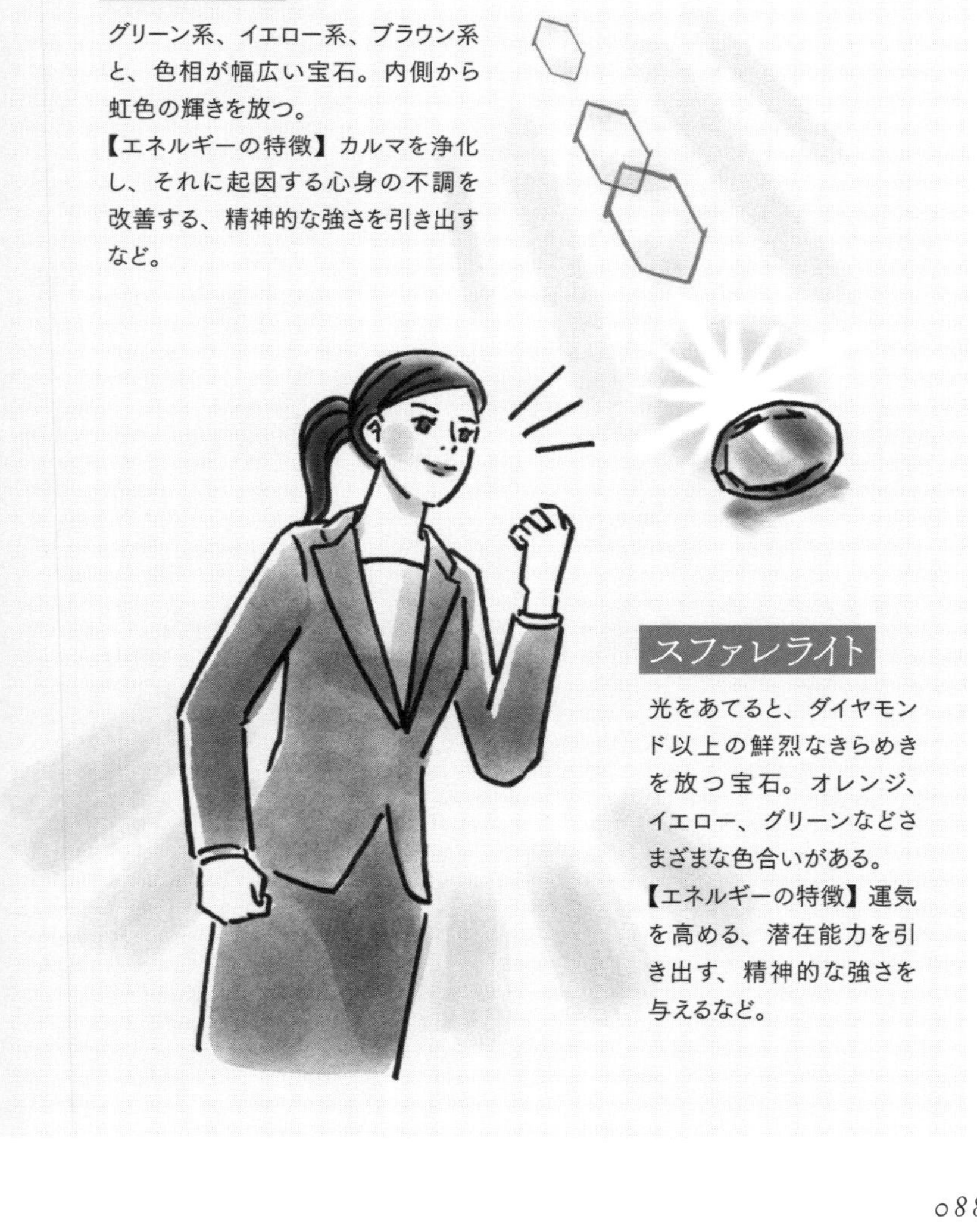

スファレライト

光をあてると、ダイヤモンド以上の鮮烈なきらめきを放つ宝石。オレンジ、イエロー、グリーンなどさまざまな色合いがある。

【エネルギーの特徴】運気を高める、潜在能力を引き出す、精神的な強さを与えるなど。

イエローサファイア

良い出あいやチャンスに導いてくれる、ラッキーカラーのサファイア。

【エネルギーの特徴】運気を高める、気持ちを明るくする、ストレスの緩和、心身のバランスを整えるなど。

レッドスピネル

大地と繋がる力を引き出し、グラウンディングさせてくれる宝石。
【エネルギーの特徴】丹田を活性化する、自信が出る、ぶれない強さを引き出すなど。

金の宝石

「金の宝石」の特徴は呼吸器系のトラブルや、花粉症やアトピーなどのアレルギー症状の緩和などに働きかけます。また、マイナスのエネルギーをブロックすることで、喉や気管支の改善を促し、深く息が吸えるようになります。「金の宝石」を身につけることでヒーリング効果が高まり、体のエネルギー循環を助けます。

スペッサータイトガーネット

赤みの強いオレンジ色からマンダリンオレンジ色まで、幅広い色相が魅力的な石。花粉症による苦しい症状に効果的。

【エネルギーの特徴】花粉症やアトピーなどのアレルギー症状の緩和など。

ロードライトガーネット

深い赤に紫をおびた神秘的な宝石。人の「氣」を受けて、心身のバランスを崩しやすい人の必需品。

【エネルギーの特徴】マイナスのエネルギーをブロックする、リンパの流れを良くする、深く息が吸えるようになるなど。

イエローダイヤモンド

まばゆい輝きで、マイナスのエネルギーをブロックしてくれる、黄色のダイヤモンド。

【エネルギーの特徴】マイナスのエネルギーにバリアを張る、ほかの色石の力を高めるなど。

オレンジサファイア

心も体もエネルギーチャージしてくれる、パワフルな宝石。

【エネルギーの特徴】血流を良くする、皮膚・肌に働きかける、免疫力を高める、頭痛・鼻炎・喉の痛み・肩こり・冷え性・むくみ・生理不順・生理痛などの改善、気持ちを明るくするなど。

ルベライト

さまざまな色があるトルマリンのなかで、赤いものは「ルベライト」と呼ばれている。呼吸器系に働きかけてくれる宝石。

【エネルギーの特徴】喉の痛みの改善、呼吸器系に働きかける、やる気・気力を高めるなど。

バイオレットサファイア

ミステリアスな紫色に輝くバイオレットサファイア。喉や呼吸器系に働きかけてくれる宝石。

【エネルギーの特徴】喉の痛みの改善、気管支・肺に働きかける、免疫力を高める。

水の宝石

「水の宝石」は精神、免疫、ホルモン系に働きかけるのが得意です。デトックスによる腎臓の回復や、内臓の不調からくる疲労回復。恐れや不安など精神の不安定さが引き起こす不眠の改善など、心と体のバランスを整えることで集中力が高まり、直観が冴えてきます。

タンザナイト

持ち主との波長がぴったりと合ったとき、昇龍のようなエネルギーが突き抜け、運気を高めてくれる龍の石。

【エネルギーの特徴】耳鳴り・難聴の緩和、潜在能力を高める、運気を高めるなど。

ブルーサファイア

気品溢れる美しいブルーサファイアは、心を落ち着かせ、芸術性など潜在能力を開花させてくれる。

【エネルギーの特徴】集中力を高める、心を安定させる、芸術性を高める、潜在能力を高めるなど。

アウイナイト

深いコバルトブルーのアウイナイトは、大粒のものはほとんどないレアストーン。小さくてもエネルギーは強く、シャープに働きかける。

【エネルギーの特徴】直観力を高める、向上心を高める、心を落ち着かせるなど。

カイヤナイト

海の底のような深いブルーのカイヤナイトは、集中力を高めてくれる宝石。
【エネルギーの特徴】心を安定させる、集中力を高める、直観力を高めるなど。

アクアマリン

清らかに流れる水のような清々しさ溢れるアクアマリン。心をクールダウンして、冷静な判断ができるようになる。

【エネルギーの特徴】イライラや怒りを鎮《しず》める、かゆみの軽減、免疫力アップ、不眠の改善など。

デマントイドガーネット

涼やかなグリーンに輝くデマントイドガーネットは、数あるガーネットのなかでも特に稀少価値が高いレアストーン。

【エネルギーの特徴】腎臓・肝臓に働きかける、デトックス、内臓の不調からくる疲労の回復など。

エネルギーをアップさせる宝石活用術！

それでは宝石の活用法について、実際にどのように使えばいいのか、いくつかその方法をご紹介します。

第2章では、自分の五行について知ることができました。自分の特徴を知ることで強みも同時に理解できるので、各シーンに合わせた宝石の持ち方が可能となります。

①エネルギーを高める「相生」の宝石

たとえば、あなたが面接や商談など勝負に出るとき、エネルギーは旺盛なほうがいいですよね！　このようなシーンでは、自分のエネルギーを高める宝石を身につけることで、オーラが強くなり気迫が出てきます。そんなときには、五行の相生の仕組みから、自分の五行を生み出す（一つ前の五行）宝石か、自分自身を象徴する宝石を持つことでエネルギーが強まります。

②エネルギーバランスを整える「相剋」の宝石

また、その反対にエネルギーを弱めたいときもあります。「氣」が高まりすぎて空回りしたり、頭が冴えすぎて寝不足になったりするときは、五行の相剋の仕組みから、自分のエネルギーを弱くしてバランスを保つ宝石を持つ方法があります。

私の知人でセミナー講師の女性がいます。彼女はプライベートもお仕事も充実していて、毎日超 happy に暮らしていますが、寝る時間になっても、頭が冴えて寝不足状態になっていました。いわゆる「氣」が旺盛になっている状態です。

そんなとき、相剋関係の宝石を手のひらに貼って寝たところ、スヤスヤと眠れるようになりました。相生だから良い、相剋だから悪いという観点ではなく、五行の関係性を上手に使うことで、自分のエネルギーバランスが整いやすくなります。「新・陰陽五行」とは在り方そのものなのです。

③瞑想をサポートしてくれる宝石

現在、瞑想がブームになっていますが、誘導瞑想や呼吸に意識を集中させるなど、いろいろな方法がありますよね。スタートしたころは、邪念が頭をよぎり集中できず、本当に正しく瞑想ができているのか疑問を抱く人をたくさん見てきました。

瞑想は知識を学ぶものではないので、何度も何度も練習をするなかで体得できる領域です。やった人にしか、わからない次元、といえるかもしれません。

しかし、瞑想をサポートしてくれる宝石を使えば、一瞬にして深い領域に到達できるケースがあります。私がよくお世話になっているのが、タンザナイト（龍の石）やグレースピネル、カイヤナイト。そして、「ホーリースリー」と呼んでいるステラエスペランサ、インペリアトパーズ、パライバトルマリンの組み合わせです。

宝石を使った瞑想をする場合、大きく分けて二通りあります。純粋に瞑想を楽しみたいときは、自分のエネルギーに合った宝石を左の手のひらに乗せてそっと目を閉じ、宝石のエネルギーを心地よく感じてみてください。あなたと宝石のエネルギーが共振して、とっても気持ちよくなり、目を開けたときにはすっきりしています。

また、何か解決したいことがあったり、ヒントを得たいときには、宝石を使った瞑想で宝石に問いかけをしてみてください。瞑想の時間のなかでメッセージを受け取ることが多々あります！

④心身を癒すヒーリングの宝石

宝石は優れたヒーリングのエネルギーを持っています。宝石を使ってヒーリングすると体の調子が良くなるのは、その人が持っている自然治癒力《ちゆりょく》が引き出されるからです。

宝石ヒーリングには大切なことが二つあります。

❶自分の波動に合った宝石を使う

たとえば、同じエメラルドでも、波動は一つとして同じものはありません。波動がぴったりと合った宝石であれば、エネルギーが引き出され、ヒーリング効果が期待できます。

❷きちんと浄化された宝石を使う

石はエネルギーを記憶する特徴があります。人や場のマイナスエネルギーが入ったままの宝石では、十分なヒーリングは期待できません。きれいに浄化して、宝石の本来のエネルギーを蘇《よみがえ》らせておくことが大切になります。

この二つの条件が整ったとき、宝石はその人の心身を癒す力を発揮するのです。それでは、基本的なヒーリング方法をご紹介します！

左手で宝石を握る

これはもっとも簡単なヒーリングで、左手で宝石を軽く握ったまま、5分から10分ほど目を閉じてリラックスします。横になっても構いません。

左手から宝石のエネルギーが全身を巡り、感覚が鈍っているところを循環させます。時間が足りないときには、医療テープで宝石を貼って仕事をしたり眠ることもできるので、何時間でも貼っておいて構いません。

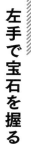

左手で宝石を握る

左手で宝石を軽く握ったまま、5分から10分ほど目を閉じてリラックス。横になってもOK！

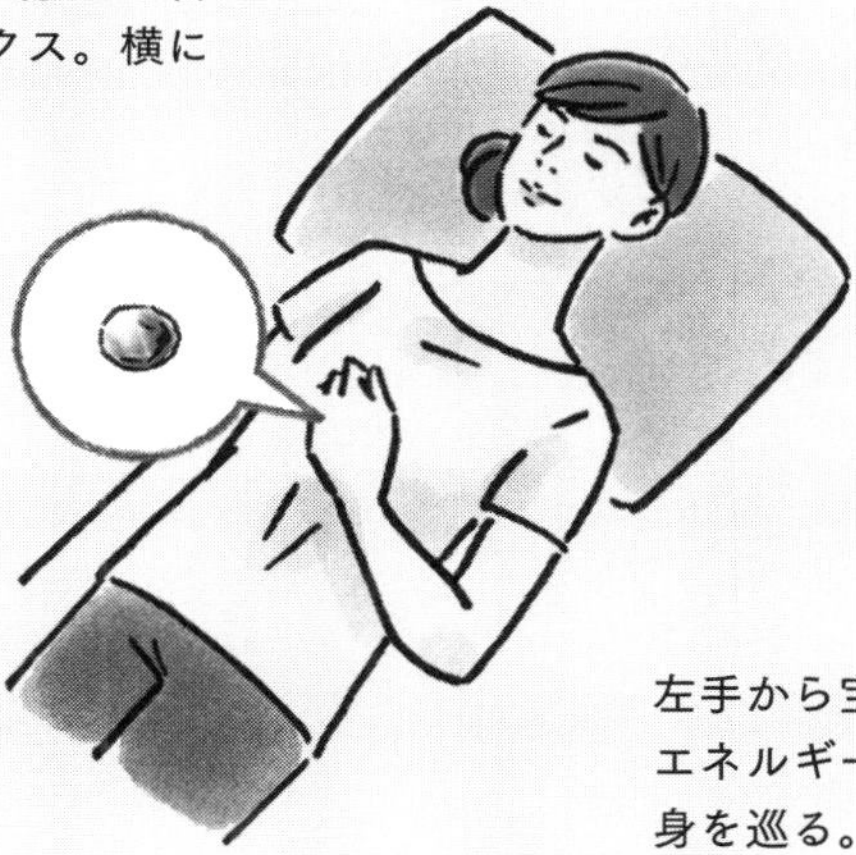

左手から宝石のエネルギーが全身を巡る。

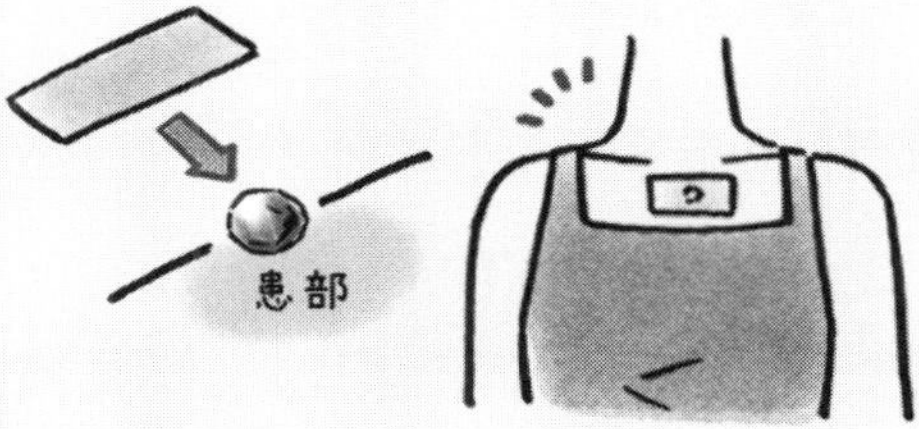

医療テープで宝石を貼ってもよい。

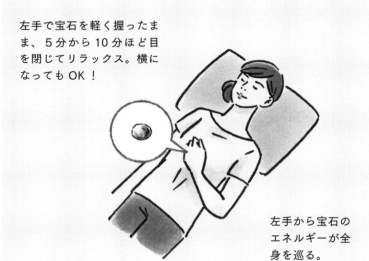

患部に直接、宝石を貼る

痛いところに宝石を貼るヒーリングです。たとえば、胃が痛いときには、胃痛に効果のあるブラックオパールやヒスイを胃のあたりに貼ったり、花粉症で悩んでいる人は、自分の波動に合ったスペッサータイトガーネットを胸に貼るのがおすすめです。

肩こりを改善したいときには、ルビーやグリーンガーネットを肩に直接貼って、そのまま何時間過ごしても大丈夫です。

患部に直接、宝石を貼る

胃が痛いときはブラックオパールやヒスイを胃のあたりに貼る。

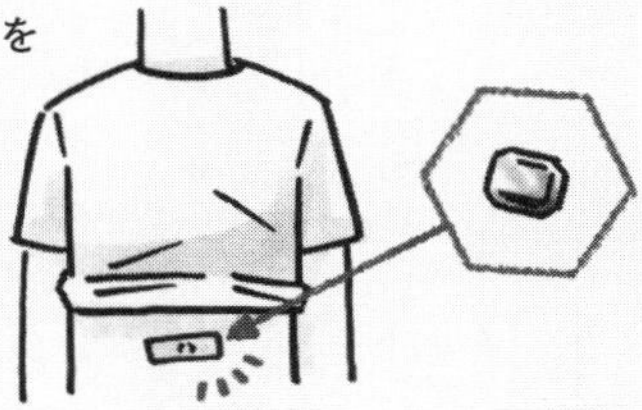

花粉症の人はスペッサータイトガーネットを胸に貼る。

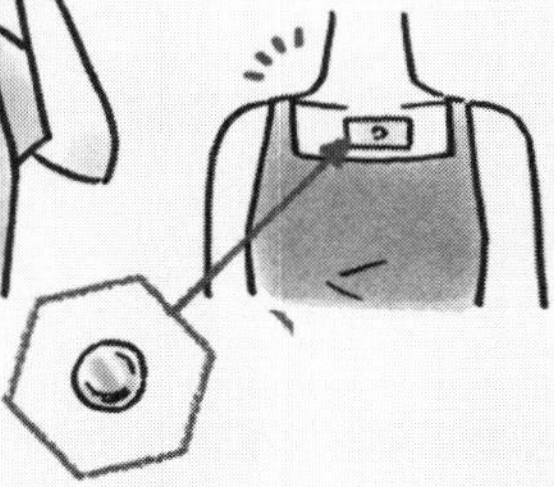

肩こりを改善したいときにはルビーやグリーンガーネットを肩に直接貼る。

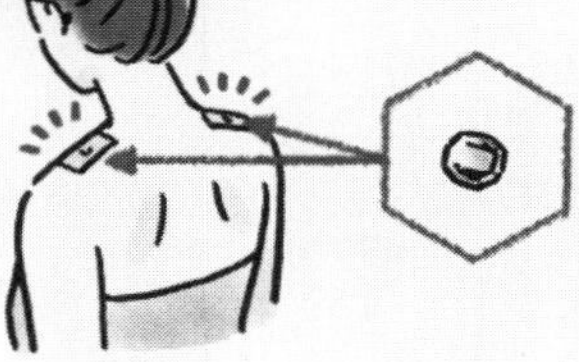

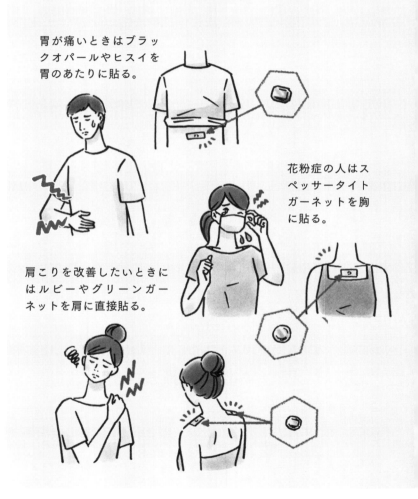

ほかの人にヒーリングしてもらう

ほかの人にヒーリングしてもらうときは、その人が心身ともに健康でマイナスエネルギーを受けていない人に頼みましょう。

家族や友達など親しい人に頼んだり、美ジュエルアカデミー（宝石ヒーリングカードを使った認定講座）で学んだインストラクターにお願いしましょう。

ほかの人にヒーリングしてもらう

手をかざす場合

ヒーリングを手伝う人が左手に宝石を持ち、ヒーリングされる人の患部に右の手のひらをかざす。

宝石を直接かざす場合

ヒーリングを手伝う人が右手に宝石を持ち、その宝石をヒーリングされる人の患部にかざす。

※心身ともに健康でマイナスエネルギーを受けていない人に頼もう!

宝石の驚くべきエネルギーの効果を得るためには、自分の波動に合った宝石でなければなりませんが、とてもシンプルな方法でわかります。

まずは宝石を左の手のひらに乗せてみてください。左手から入った宝石のエネルギーが自分の波動と合ったとき、共振が感覚として伝わってきます。

このとき、ビビッと来たりじんわりと温かくなったり、金粉が出たり頭の中が螺旋《らせん》状につき上がる感覚を持ったり、人によってさまざまです。

ときどき感覚がわからないという人がいますが、その人が悪いわけではありません。でも、宝石にエネルギーがあることを頭から疑ったり、感じようとする心を自らが遮断《しゃだん》している場合は、感性のスイッチをＯＦＦにしてしまっているので、感じることが難しいのです。

また、宝石を持ちながら首を傾《かし》げている人がよくいますが、これは感じているのか感じていないのかがわからず、考え込んでしまっている状態です。

このような人には、「リラックスして心をニュートラルにし、素直な気持ちで接してください」とお伝えしています。

もし、自分の波動に合った宝石と出あいたい人は、宝石フィッティングをおすすめします。こちらのＱＲコードからアクセスすると、宝石フィッティングの様子を観ることができます。ご興味があれば、ぜひご覧になってください。

＊ＱＲコード先のアドレスはこちらです。
https://www.youtube.com/watch?v=eiXARQl2GHM

Chapter 4

新五行の鍵となる、新時代の悟り石

「因果」を越え、「悟り（差取り）」に導く宝石

現在、私たち人類はかつてない大きな変化のタイミングを迎えています。

これまで人類は、ずっと二元の世界、つまり「因果」のある「相対の世界」のなかで争いを続けてきました。「相対の世界」とはつまり、「善：悪」「敵：味方」「勝ち：負け」「美：醜」「光：闇」「白：黒」などです。

「相対の世界」は、境界線があることによって生まれます。ここまでが味方、と範囲が決まったとたん、その範囲、境界線の外側は自動的に敵になるのです。

人類が直面しているさまざまな格差、分断、差別などの問題、そして戦争や争いが生まれる根本原因は、私たちが「相対の世界」、つまり「因果」のなか

にとどまっていることに起因しています。

今こそ、私たちはこの「因果」を越えて、一次元上の上昇したステージへと進まなければいけないときに来ているのです。

この一次元上昇したステージが、差の取れた世界、つまり「悟りの世界」です。

「悟り」というと、お釈迦様などの聖人が修行の末に開いたもので、自分には関係のないことだと思う方もいらっしゃるかもしれませんが、そんなことはありません。

「悟り」は、私たちの人生を豊かにし、それぞれの無限の可能性を開いて輝かせてくれるための最強のツールなのです。

多くの人は、人は悟ると欲がなくなり、常に心穏やかに、無心の状態でいられるようになると思っているのではないでしょうか。

しかし、それはお釈迦様や過去の偉人に対して後世の人が勝手につけたイメージにすぎず、本来の「悟り」とは、それまでのとらわれから自由になって、その人が本来やりたいこと、魂の喜びと出あうためのものです。

悟った観点で世界を見るということは、「すべてがバラバラに存在している状態から世界を見るのではなく、すべての差が取れた一つの状態から違いを生み出し、その違いがあるからこそ出あいが生まれる」ということを観察できるようになることをいいます。

昔は悟るためには、山にこもったり滝に打たれたり、長時間瞑想したりと多くの修行をするよりほか、術《すべ》がありませんでした。

しかし今は科学技術も発展し、私たちは昔とは比べものにならないくらい宇

宙の果てまで知り得る知識を持っています。

スピリチュアルの世界では「すべては一つ」「ワンネス」という言葉がよく使われます。瞑想などのワークを通して、感覚的にワンネスを体感したことのある方もいらっしゃるかもしれません。

人類が蓄積してきた知識とあわせて、簡単に誰でも論理とイメージで悟ることができるメソッドも完成しているのです。

エネルギー的な体感も大切なことの一つですが、体感は他の人との共有が難しく、共通理解を得ることが難しいという難点があります。

また、どんなに瞑想を通してワンネスを体感しても、現実の世界で目を開けて見るとすべてはバラバラに見えます。

私たちが目で見ている世界と、すべては一つのワンネスの世界。この二つの世界には、一体どのような関係性があるのでしょうか。

この二つの世界の関係性を握る鍵が、実は私たちの脳にあるのです。

私たち人間の脳が、どのようにこの世界を認識しているのかを知ることが、「差を取る悟り」の鍵となります。

まずはこのイメージを自らにインストールすることで、すべてを上昇した観点からとらえることができるようになります。

悟った観点を持つことで、私たちは初めてこれまでとらわれていた「因果」の世界から自由になり、さらに「因果」を使いこなして自在に自分の世界をデザインし、構築することができるようになります。

そして近年、「因果」を越え、人生を謳歌することをサポートしてくれるエネルギーの宝石が見つかっています。

ここでは、特に注目されている4種類の宝石をご紹介したいと思います。

今もっとも注目されている四つの宝石

◉境界線を無限に広げてくれる「ハイアライト」

ハイアライトという宝石は、人が無意識でつくっている自分の枠、境界線を無限に広げてくれる宝石です。

人はそれぞれ、自分の家族、自分の会社……というように、自分の範囲、言い換えると自分が守るべき範囲を持っています。

自分が守る範囲というと聞こえはいいですが、実は範囲があることによって自分の「外」ができて、その外が自分の敵になってしまうのです。

また、範囲のなかを「守らなければいけない」というエネルギーは無意識のうちの自分の可能性も狭めてしまいます。

ハイアライトは「自分」という範囲をどこまでも広げて、ワンネス、つまりすべては一つに繋がっている、境界線のない、敵のない世界を感じさせてくれます。

これまで守ってきた「自分」という狭い範囲から解き放ち、無限の可能性のなかから新たな自分の生き方を創造させてくれる宝石なのです。

◉カルマ・トラウマを一瞬で取り去る「スキャポライト」

スキャポライトは時間軸を瞬間的に超えて、カルマやトラウマなど過去に起こった悲しみ苦しみを一気に取り去り、一瞬でさまざまな症状を改善してくれる宝石です。

これまで歴史のなかで、戦争などのさまざまな悲しみを体験して輪廻している私たちの魂は、多くのカルマやトラウマを抱えています。スキャポライトはそんな心や魂を癒してくれる力を持っています。

魂のカルマから自由になるというと、難しいことのように感じる方もいらっしゃるかもしれませんが、簡単にいうと、これまでその人が無意識に何度も繰り返してきたパターンから自由になるということです。

岩盤のように固く凝り固まった「こうせねば」「こうするべき」といった「ネバ・ベキ」の考え方や行動パターンから自由にしてくれるのが、カルマやトラウマから自由にしてくれるスキャポライトのような宝石なのです。

◉因果から解き放ち、自由に生きることをサポートする「グレースピネル」

白と黒の両方を内包したグレーのグレースピネルは、これまでの固定した因果から、自由に解き放ってくれる宝石です。

白と黒の勾玉が一つになっている太極図をイメージしてみてください。人は太極図のように「これが白」「これが黒」と、無意識で固定して考えがちです。しかし、太極図を回転させると、白と黒が混ざってグレーに見えるように、本当は固定した白も黒も存在しません。

白と黒を、善と悪に置き換えて考えてみてください。私たちはつい、あの人は良い人、あの人は悪い人と、相手のことを固定した観点で見てしまいがちですが、本当は完全な良い人がいなければ、完全な悪い人もいません。良い悪いと判断しているのは、私たち人間の観点にすぎませんし、その判断基準も、国や時代によって変化していきます。

私たちは現在、価値観が今まで以上に早く変化する世界に生きています。因果から解き放ってくれるグレースピネルは、これまでの判断基準にとらわれず、新しい基準を創造する力を秘めているのです。

◉ありのままを受け入れ、受け取れるようになる「オレゴンサンストーン」

オレゴンサンストーンは、太陽のエネルギーと月のエネルギーを同時に有している宝石です。陰陽の因果を越えて、すべての光を受け取るサポートをしてくれます。

多くの人が、実はなかなかできていないことが「ありのままを受け取る」ということです。私たちはつい、幸せを受け取る、享受するためには、何か特別な理由が必要な気がしてしまっています。

たとえば、何か良いことがあったとき。多くの人は、その良い出来事を受け取るための理由を、自分の過去に探すのではないでしょうか。

過去に何か理由を見つけられたときは、自分でもその良い事柄が起こったことに対して、納得することができるでしょう。

でも逆に、自分自身で何もしていないと思っているときに、予期せぬ良いことがあった場合はどうでしょう。

そんなとき、多くの人は、「自分は何もしていないのに、こんな良いことがあっていいのだろうか」と思ったり、人によっては「突然良いことがあるということは、次は何か悪いことが起きるのではないか」と不安になったりするのではないでしょうか。私たちは無意識のうちに「苦労の対価」として喜びを得られるというふうに思い込んでいるのです。

これまでの時代はたしかにそうだったのかもしれません。しかし、これからの時代、私たちが幸せを享受すること、人生を謳歌することに、理由なんて必要ないのではないでしょうか。

輝きそのものの自分を受け入れることができたときには、宇宙すべてがあなたを応援し、人生を謳歌することができるはずです。

オレゴンサンストーンは、因果を越えた幸せそのもの。光に満ち溢れた人生をサポートしてくれる宝石なのです。

ここでご紹介した4種類の宝石は、いずれも近年、宝石質のものが発見されたり、市場に流通するようになったものばかりです。この他にも、この数年間に新しいエネルギーや効能が発見されている宝石がたくさんあります。

これらの宝石は、今の時代に多くの人が必要としているからこそ、長い歴史のなかでも今、このタイミングで私たちの前に現れたのではないでしょうか。

私たちは今、これまでの常識を超えて、新たなステージで人生を楽しみ、謳歌する時を迎えています。宝石のエネルギーを最大限に活用しながら、軽やかに新時代を楽しみましょう！

Chapter 5

特別対談
岡安美智子×岡本敬人

株式会社ベルエトワール代表取締役

～「龍」と「宝珠」
時代が求める変化のエネルギーとは？～

宝石店「ギンザベルエトワール」を運営する、株式会社ベルエトワール代表取締役であり、この本の宝石に関わる部分を監修してくださっている岡本敬人社長、そして本書の著者である岡安美智子さんに「五行と宝石」、そして今多くの方が興味を持たれている「龍」についてもお話をうかがっていきたいと思います。

インタビュアー（以下、イ） 岡本さん、宝石とは私たちにとってどのような存在だとお考えですか。

岡本敬人さん（以下、岡本） 一般的に宝石というと、アクセサリーとして身につけるものだったり、観賞用として楽しむものだったり、財産的な価値のあるもの、と思われていると思います。

こういったイメージももちろん間違いではありませんが、地球が生み出した宝石には、さらに素晴らしい価値があります。それが、この本の中でも紹介されている宝石のエネルギーとしての価値です。

地球のなかで何万年、何億年という時を経て形成されてきた宝石は、私たちの心・体・魂を癒し、その人が本来持っている輝きを引き出してくれる、特別な力を秘めているのです。

歴史のなかでも、宝石は世界中のリーダーやシャーマンたちがその特別な力に魅せられて、身につけたり、儀式に使ったりしてきました。しかし、文明の発達とともに、人はだんだん目に見えない力を使わなくなり、宝石のエネルギーのことも忘れていきました。

そんな宝石の力に、あらためて着目し、20年以上の歳月をかけて、現代の人々が使いやすい形で体系化したのが、私の師であり株式会社ベルエトワール前代表の岡本憲将氏でした。

私はもともと音楽関係の仕事をしていましたが、岡本憲将氏に出あって、宝石が人々を輝かせる力に感動し、岡本憲将氏に弟子入りして、宝石について学ばせてもらったのです。

それから10年ほど経ち、今は私自身が宝石のエネルギーについて伝える立場となりましたが、宝石を持つことを通して多くの方が瞬時に変化される様子は、今も感動の連続です。

岡安さんご自身も、宝石を通して大きく変化されましたよね。

岡安美智子さん（以下、岡安） おっしゃる通りです。宝石の力が人に与える影響は本当にすごいものだと。私もこの数年間、自分自身やまわりの多くの方の変化を通して実感してきました。

私もご縁があって、岡本憲将氏のもとで宝石について学ばせていただいたのですが、何よりも驚いたのは、これまで私が扱ってきたさまざまな出来事のなかで、宝石を通して変化された方からの感謝のフィードバックが一番大きかったことです。

私はこれまでにも、起業塾や、フラワー風水など、人が輝いて生きるためのコンテンツをいろいろと開発してご提供してきました。

特別対談

岡安美智子×岡本敬人

もちろん、どのコンテンツでも皆さん変化されていったのですが、宝石をフィッティングした方からの「本当に大きく変化することができました！」という感謝のフィードバックは、群を抜いているように思います。

正直、宝石って他のレッスン費などと比べたら、お安いものではないですよね。それにもかかわらず、多くの方が心からご自身の変化を実感されて、感謝してくださるっていうことが、私にとっては驚きでした。

岡本　たしかに、人生に変化を与えるという意味では、宝石って本当にすごい力を持っていると思います。

宝石は目に見えるものですが、同時に目に見えないエネルギーの世界にも働きかけてくれます。

目に見えている世界を三次元、そして目に見えないエネルギーの世界を四次元だとするならば、実はこれらが表裏一体で成り立っているのが、私たちの生きている世界です。

ですから、この片側、つまり目に見えている三次元の世界だけを変化させて、人生を変化させるというのは、実はとても難しいことなのです。

でも宝石は、宝石を持ったり身につけたりという三次元の行為を通して、同時に四次元、つまりエネルギーの側面からも心身に働きかけてくれるので、変化が速いのだと私は考えています。

岡安 私も最初は、なぜこんなにも宝石で皆さんが変化されるのか、自分のなかで理解できなかったのです。

でも、先にエネルギーが変わることで、三次元、つまり肉体的な変化や、人との出あいなど、現実が変わっていくとわかったときに、自分のなかで納得できました。

岡本 うちのお店に来て宝石を持たれた方は、よく「こんな簡単に現実が変化するなんて！」と驚かれます。

これは、宝石が私たちの魂のより深い部分を揺り動かしてくれるからではないかと思います。

私たち人間が体を持って生きられるのは100年前後ですが、実は私たちの魂はそんなレベルではない、もっともっと深い記憶を持っていると思うのです。

先ほどもお話ししたように、宝石はこの地球で何万年、何十億年という長い時を経てエネルギーが凝縮したものですから、当然私たちが生まれるずっとずっと前からのエネルギーを秘めています。

そんな宝石に触れることによって、私たちも今世だけではつかみきれない、もっともっと深い魂の奥底を振動させることができるから、現実も自分の想像以上に速く、大きく変化していくのではないでしょうか。

イ 宝石は私たち人間の変化をサポートしてくれる、最強の味方なのですね。本書では、そんな宝石を五行に分類しています。岡安さんはなぜ、宝石を五行に分類されようと思われたのですか。

岡安　私はもともと、風水の鑑定や、五行を使ったコンテンツの開発を行っていたのですが、宝石のお仕事をするなかで、地球上にあるすべてのものを五つに分類する五行と、地球から生まれた宝石はとても相性が良いと思いました。

これまで、パワーストーン的な鉱物は五行でも分類されていましたが、岡本憲将氏が体系化された新しい概念の宝石は、まだ五行に分類されていませんでした。

古き伝統のある、人々が親しんできた五行という知恵と、今の時代多くの方が必要としている宝石のエネルギーを融合させることで、より親しみやすく宝石も五行も活用していただけるようになるのではないかと思ったのです。

そして、これからの時代は、すべてを互いに生かしあうことができる関係性を紡ぐことが鍵になると思い、「新五行」を提案させてもらいました。

岡本　私も、「宝石と新五行」というのは今のタイミングにまさに必要なテーマだと思い、岡安さんからお話をうかがったときにとても嬉しかったです。

これまでの五行の「相生相剋」という概念には、相手を生かす「相生のエネルギー」と、相手を殺し奪う「相剋のエネルギー」がありました。

しかし、これからの時代を創り出す「新五行」は、「相生のエネルギー」も「相剋のエネルギー」もこれまでの考え方からアップデートすることができると思います。

そもそも奪うという考えは、大前提に範囲があることから生まれています。

たとえばリンゴが４個しかないときに、５人で分けようと思ったら、誰かが誰

かのリンゴを奪わなければいけませんよね。

でも、リンゴが無限に供給されるとしたらどうでしょう。誰も人のものを奪わず、欲しいだけリンゴを得ることができます。

この本の第4章でも話されていました、差を取る「悟り」というのは、つまり範囲がないところ、境界線がないところから考えをスタートするということです。範囲がないということは、そこには無限の可能性があるということです。

この新しい五行が表す関係性は、これからの社会が必要としている私たち人間の在り方を示しているような気がするのです。

2020年の新型コロナウイルスの流行をきっかけに、私たちの生活は大きく変化しつつあります。そして、人と人の関係性や、社会の在り方も、これから大きく変化していくことでしょう。

今までの、中央集権的な国や会社の在り方、王と民、社長と部下といった上下のある関係性は、もう限界を迎えているのです。

「新五行」の関係性は、相手を尊重しながら相手を尊厳そのものとして、ジャッジすることなくチームプレーできる、そんな新しい関係性のモデルのように思えます。

それぞれが、自分の無限の可能性を輝かせて人生を謳歌できる、そんな理想的な社会を構築する鍵が、「新五行」に秘められているのではないでしょうか。

岡安　そうですね。「新五行」も宝石も、私たちの人生を豊かに輝かせてくれるものだと思います。

よく岡本憲将前代表が「あなたはこんなものじゃないでしょ！」っておっしゃっていて。今もその言葉を思い出すと心が震えるのです。

魂って目に見えないけれど、私はやっぱりあると思っています。そして、その魂はみんなもともと輝いていると思うのです。ただ、それがいろいろな形で曇ってしまっていて。

人間はもともと輝いた魂を持っている存在だから、本当は輝かせることができるんですよね。でも、そのことを忘れていて、本来の輝きを使わないでどうするのって思うんですよ。

宝石はその人が本来持っている魂の輝きに気づかせてくれたり、瞬時に活性化してくれたり、という力、役割があるのかなと思います。

私たちの魂は目で見ることはできないけれど、それを視覚化できるのが、自分に合った宝石の輝きじゃないかなって思うのです。

ですから、自分と相性の合った宝石を見たときに「私の魂はこんなに輝いて美しいんだ！」「本来の輝きはこの状態なんだ」と見せられると、とても嬉しいですよね。

宝石を通して、本当の自分の輝きを認識することで、私もこんな風に輝こうって思えるのではないでしょうか。

岡本　宝石の輝きが、ご自身の本来の輝きを表しているというのは、とても素敵な考え方ですね。

岡安さんは、この地球にあるものを最大限に活かしたいと思っていらっしゃるのですね。五行も地球に存在している物質を分類した仕組みですし、宝石のような鉱物や、フラワー風水は植物ですし、地球にあるすべてを活かしたいっていう思いがあるのかなと思いました。

岡安　私、地球が大好きなんです。地球にいられることがとても嬉しいし、土や風や水の香りも好きだし、小さな花とか昆虫とか、すごく好きなんですよね。

岡本　私もこの地球を、人類をもっともっと輝かせたいという思いがあります。

これは、誰かにいわれたからではなくて、自分の魂の奥底からくる思いで、そのために体をつくって、この地球に生まれてきたんだって思うのです。

そのために、この地球上で最も美しいものの一つである宝石を活用して、たくさんの人が本来の輝きを取り戻していって欲しいと思います。

イ　ここで、今回のもう一つのテーマである「龍」についてもお話をうかがいたいと思います。

近年「龍」というキーワードに興味を持たれている方も多く、さまざまなところで目にする機会も多くなってきています。

描かれている「龍」は「宝珠」を手にしていることも多く、宝石とも密接に関わりがあるように思いますが、お二人は「龍」とはそもそも、どのような存在だと考えていますか。

岡本　「龍」はいろいろな形で描かれていたり、日本だと神社に祀られていたりもしますよね。また、場所によっては「龍」が封印された伝説が残るところもあります。

いろいろな考え方があると思うのですが、私は「龍」とは「進化進展の意志」がエネルギー化したものだと考えています。

このままの状態で満足だと思う人もいるかもしれませんが、多くの人はもっとワクワクしたい、もっと輝きたいという思いを秘めているのではないでしょうか。それは、すべての人が本来無限の可能性を秘めているからだと思うのです。

無限の可能性があるからこそ、もっともっと変化したい、進化したいという思いが溢れてくる。

ただ、これまでの経験のなかで、どうせ自分なんかには無理だと、自分の可能性を小さくしてしまっている人が多いと思うのです。

そんなときに、進化進展の意志そのものである「龍」が、「あなたの可能性はそんなものじゃないよ!」と、目覚めさせてくれるのではないでしょうか。

岡安　なるほど。「龍」は自分が輝きたいという意志ということですね。一つ、質問がありまして。たとえば、「この場所に龍の思いが封印されている」というような表現だったり、そういったところに行って「龍を解放するワークを行う」というような表現をされる方もいると思うのですが、これはどのようにとらえればいいのでしょうか。

岡本　これは、そもそも「龍」だけでなく、すべての存在をどのようにとらえるのかということが重要になってくると思います。

私たちが見ている世界というのは、そもそも存在しているものを認識しているのではなく、私たちが自分の脳を通して認識するから存在しているのです。

ですから、エネルギー体である「龍」も、「龍」が存在しているのではなく、私たちが脳を通してそのエネルギーを「龍」だと認識するから、「龍」が存在するにすぎません。

そして、その「龍」にどのような意味づけ、価値をつけるのかも、あくまでも私たち人間の観点次第なのです。

たとえば、台風が来て水害が起こったとします。それは人間を苦しめる「悪い龍」なので、その「龍」を封印しようと思ったとしますよね。でも、その「龍」を「悪い龍」だと判断しているのは、人間にすぎません。干ばつのときに雨を降らせたら、「良い龍」だと称えられ、祀られるかもしれません。

これまでは、人間にとって有益でないと判断されたエネルギーは、結界《けっかい》や呪術などを使って、封印されてきたのではないでしょうか。

ですが、全体のバランスを大きな観点で見たとき、本当は「龍」にもエネルギーにも、良いも悪いもないのです。

これはまさに五行の「相生相剋」の考え方そのもので、すべてのものは何かを生かすエネルギーを持っていると同時に、何かを剋するエネルギーも持っていますよね。

そのどちらも、ありのままに受け止めて、ありのままの輝きを放つためには、私たち人間が「善と悪」「光と闇」というような因果から自由になることが重要だと思います。それが、封印されている「龍」を呼び覚ますということにも繋がってくるのではないでしょうか。

岡安さんは、「龍」にどのようなイメージを持たれていますか。

岡安 自分でも不思議なのですが、私は子供のころから「龍」が大好きで。両親が「龍」好きだったわけでもないので、なぜなのか本当にわからないのですが。辰年になると、いろんな場所で「龍」をモチーフにしたものが売っているので、嬉しくって昔から集めていました。

でも、自分がなぜこんなにも「龍」に惹かれるのかわからないので、皆さんはどんな風に「龍」をとらえているんだろうって、とても興味がありました。

岡本 そうなんですね！ 「龍」が好きってことは、岡安さんのなかに何か「龍」に対して良いイメージがあるってことですよね。たとえば、幸せを運んでくれるとか、金運を高めてくれるとか、何か具体的なイメージはありますか。

岡安　私のなかで「龍」はもっと力強いイメージですね。生きる根源的なエネルギーというか……。

恋愛運や金運を高めてくれるというのもあると思うのですが、それは私のなかではソフトなイメージで、そうではなくて、もっと生きる真髄《しんずい》的な、肝となる部分に目を向けさせてくれるような感じがします。

たとえば、「龍」の背中に乗ったとすると、自分の一番深い欲求、パッションというか、根源的なところに連れていってくれる気がするんです。

岡本　その自らの根源に行くことで、何が得られる気がしますか。

岡安　この肉体を持って、この世に誕生したいと思った、そんな根源と出あえる気がします。「私、このために生まれてきたんだ!」「今までのすべてが、だからそうだったんだ!」と繋がるような……。

岡本 そこにたどり着いたときに、何か喜びとかがあるイメージですか。

岡安 それは考えたこともなかったですが、今急にビジョンが見えました!

今見たビジョンでは、「龍」の背に乗って、自らの根源にたどり着いたときに、「龍」が「あなたがこの世に誕生した一番深い根源的な欲求は、この宝珠を見ればわかるよ」って一人ひとりに「宝珠」を渡していて……。

その「宝珠」をのぞきこむと、一人ひとり違って、走馬灯のように、「あ!私このために生まれてきたんだ」ってわかるような。そんな「宝珠」を授けてくれるのが、私の思う「龍」のイメージでした!

今まで、なんで自分が「龍」に惹かれるのかわからなかったけれど、今はじめて岡本さんの質問を通して、自分がイメージする「龍」のビジョンが明確になりました。だから、今すごく嬉しいです!

岡本　ご自身のなかで納得できて、イメージがしっかり重なるのはとても大切なことだと思います。

先ほど岡安さんがお話ししてくださった、自分の本来の魂の輝きを映し出してくれる宝石のイメージと、「龍」が授けてくれる「宝珠」のイメージが重なりますよね。

岡安　本当ですね！　この「宝珠」さえあれば、迷ったときにも見ることができるし、力強いパートナーがいつもそばにいるようなイメージです。

岡本　進化進展の意志のエネルギーである「龍」と、地球の、そして宇宙のエネルギーを秘めた宝石「宝珠」というのは、とても深い繋がりのあるものだと感じています。

実はこの数年の間に、私は仲間たちとともに何カ所も、日本中にある「龍」

と関係のある場所へ、宝石を持って祈りに行っています。宝石を持ってエネルギースポットへ行くと、持って祈る人の意志と、その土地のエネルギー、そして宝石のエネルギーが共鳴しあって、大きな変化をもたらしてくれると感じています。

そして、さまざまな土地で「龍」が目覚めるのを感じたことが何度もありました。

岡安　人の意志と宝石、そして大地が共鳴して、「龍」が目覚めるのですね。

五行の分類のなかではこれまでも、五行それぞれにまつわる色に対応して、「木」は「青龍」、「火」は「赤龍」というようにいわれてきましたが、あまり詳しい記述はありませんでした。

この本ではより詳しく、五行それぞれのエネルギーと対応する「龍」の特性、色、そしてその「龍」に出あえる場所についてもご紹介したいと思います（150～151ページ表参照）。

岡本　五行に対応する「龍」の色だけでなく、その特性や出あえる場所もわかるというのは、とても画期的なことだと思います。こういった特性がわかると、より具体的に「龍」をイメージしやすいですよね。

たとえば、ご自身のなかで「火」のエネルギーを高めたいときには「火の龍」に出あえる場所に行ったり、「水」のエネルギーを高めたいときは「水の龍」に出あえる場所に行ったりと、宝石とともに、大地とも共鳴して五行のエネルギーを活用できるようになるのではないでしょうか。

岡安　五行に対応する「龍」のイメージを通して、地球のエネルギー、その土地土地が秘めるエネルギーとも共鳴しやすくなりそうですね。

岡本　宝石や、五行の「龍」のエネルギーも最大限に活用して、皆さんがご自身の内なる「龍」を目覚めさせて、人生を自由に謳歌するきっかけになれば素晴らしいなと思っています。

岡安　そうですね！　宝石も「龍」も、これからもっと親しみやすく、多くの方の人生をサポートしてくれるようになると思います！

イ　お二人とも、貴重なお話をありがとうございました。

土の龍	金の龍	水の龍
黄土・銀	金・白	心がしずまるような、深い青、深い緑
古墳、洞窟など、横穴の奥	風が吹き、しなやかにうごめき、空を映し出す湖	地中に流れる水脈の中
じっと動かず、知恵を保ち、眼を瞬きながら、時が来るのを待っている	まだ形となっていない思いを、形として現実化する力を持つ	難しいと思うことも、プレッシャーをかけることで、その人が持つ本来の力を発揮できるようサポートする

※監修　Dragon Messenger そんりゅうめい

五行の龍	木の龍	火の龍
色	緑・黒	新たな時を切り裂くような、鮮烈な炎のような赤
出あえる場所	大きな樹木が駆け上るように育っている、その地中	山、火山の山頂付近にある、枝振りの大きい木の上
性格・特性	穏やかに、たゆたうような微笑みを浮かべているが、内側には芯が太い幹のような力強さをあわせ持つ	軽やかなエネルギーをはちきれんばかりに放つ。勢いがあって、止めること、留めることができない

おわりに

私たちはもともと光輝く存在で、思った通りの人生を創造できるようにデザインされています。でも、ほとんどの人たちがそのことに気づかないまま、人生を過ごしているのが現状です。

人間が悩む問題のほとんどは、お金、人間関係、健康といわれています。問題解決をするためにいろいろなメソッドが存在しますが、自分の波動が上がれば、いち早く解決に向かいます。

波動を引き上げる最強のツールこそ、地球が生み出した宝の石「宝石」です。宝石は私たちの心、体、魂を癒し、運気を高めるなど、さまざまなエネルギーを与えてくれます。

素晴らしいのは、身につけている人だけにエネルギーを発しているのではなく、宝石と波動が共鳴することで、身近な人たちや空間などにも影響を与えていることです。

今、世の中では自分自身を信頼できない、自分に自信がないということで、生きることに不安を抱いている人がとても多いです。

だからこそ、本来の力を引き出して「あなたはこんなに素晴らしいんだよ!」ということをお伝えしたい。そんな想いで、この本を書かせていただきました。

さあ、思い出してみてください。あなたはこの世界に何をするために生まれて来たのでしょうか?

あなたの人生を創造できるのはあなた自身です。あなたは無限の可能性を使い、今、この瞬間を輝かせ、人生を謳歌することができるのです。

一人ひとりが輝くことで、自分が変わり、まわりが変わる。そして、社会が変わり、日本が変わる。日本が変わることで世界が変わり、地球が良くなると思っています！

この本を手にとってくださった読者の皆様、ぜひ、出あってください。あなたと共に成長したいという意思を秘めた、地球からの贈り物、宝石たちと……。

最後になりましたが、本書の出版にあたりご尽力くださったクローバー出版の小田実紀代表取締役とスタッフの皆様、ギンザベルエトワールの岡本敬人社長、明子夫人、いつも私を支えてくれる（社）日本フラワー風水協会のみんな、弊社のスタッフと、温かく見守ってくれている家族に心より感謝します。

岡安美智子

陰陽五行の早見表1

西暦	1月	2月	3月	4月	5月	6月	7月	8月	9月	10月	11月	12月
1956年	3	34	3	34	4	35	5	36	7	37	8	38
1957年	9	40	8	39	9	40	10	41	12	42	13	43
1958年	14	45	13	44	14	45	15	46	17	47	18	48
1959年	19	50	18	49	19	50	20	51	22	52	23	53
1960年	24	55	24	55	25	56	26	57	28	58	29	59
1961年	30	1	29	60	30	1	31	2	33	3	34	4
1962年	35	6	34	5	35	6	36	7	38	8	39	9
1963年	40	11	39	10	40	11	41	12	43	13	44	14
1964年	45	16	45	16	46	17	47	18	49	19	50	20
1965年	51	22	50	21	51	22	52	23	54	24	55	25
1966年	56	27	55	26	56	27	57	28	59	29	60	30
1967年	1	32	0	31	1	32	2	33	4	34	5	35
1968年	6	37	6	37	7	38	8	39	10	40	11	41
1969年	12	43	11	42	12	43	13	44	15	45	16	46
1970年	17	48	16	47	17	48	18	49	20	50	21	51
1971年	22	53	21	52	22	53	23	54	25	55	26	56
1972年	27	58	27	58	28	59	29	0	31	1	32	2
1973年	33	4	32	3	33	4	34	5	36	6	37	7
1974年	38	9	37	8	38	9	39	10	41	11	42	12
1975年	43	14	42	13	43	14	44	15	46	16	47	17
1976年	48	19	48	19	49	20	50	21	52	22	53	23
1977年	54	25	53	24	54	25	55	26	57	27	58	28

西暦	1月	2月	3月	4月	5月	6月	7月	8月	9月	10月	11月	12月
1978年	59	30	58	29	59	30	0	31	2	32	3	33
1979年	4	35	3	34	4	35	5	36	7	37	8	38
1980年	9	40	9	40	10	41	11	42	13	43	14	44
1981年	15	46	14	45	15	46	16	47	18	48	19	49
1982年	20	51	19	50	20	51	21	52	23	53	24	54
1983年	25	56	24	55	25	56	26	57	28	58	29	59
1984年	30	1	30	1	31	2	32	3	34	4	35	5
1985年	36	7	35	6	36	7	37	8	39	9	40	10
1986年	41	12	40	11	41	12	42	13	44	14	45	15
1987年	46	17	45	16	46	17	47	18	49	19	50	20
1988年	51	22	51	22	52	23	53	24	55	25	56	26
1989年	57	28	56	27	57	28	58	29	0	30	1	31
1990年	2	33	1	32	2	33	3	34	5	35	6	36
1991年	7	38	6	37	7	38	8	39	10	40	11	41
1992年	12	43	12	43	13	44	14	45	16	46	17	47
1993年	18	49	17	48	28	49	19	50	21	51	22	52
1994年	23	54	22	53	23	54	24	55	26	56	27	57
1995年	28	59	27	58	28	59	29	60	31	1	32	2
1996年	33	4	33	4	34	5	35	6	37	7	38	8
1997年	39	10	38	9	39	10	40	11	42	12	43	13
1998年	44	15	43	14	44	15	45	16	57	17	48	18
1999年	49	20	48	19	49	20	50	21	52	22	53	23

陰陽五行の早見表1

西暦	1月	2月	3月	4月	5月	6月	7月	8月	9月	10月	11月	12月
2000年	54	25	54	25	55	26	56	27	58	28	59	29
2001年	0	31	59	30	60	31	1	32	3	33	4	34
2002年	5	36	4	35	5	36	6	37	8	38	9	39
2003年	10	41	9	40	10	41	11	42	13	43	14	44
2004年	15	46	15	46	16	47	17	48	19	49	20	50
2005年	21	52	20	51	21	52	22	53	24	54	25	55
2006年	26	57	25	56	26	57	27	58	29	59	30	60
2007年	31	2	30	1	31	2	32	3	34	4	35	5
2008年	36	7	36	7	37	8	38	9	40	10	41	11
2009年	42	13	41	12	42	13	43	14	45	15	46	16
2010年	47	18	46	17	47	18	48	19	50	20	51	21
2011年	52	23	51	22	52	23	53	24	55	25	56	26
2012年	57	28	57	28	58	29	59	30	1	31	2	32
2013年	3	34	2	33	3	34	4	35	6	36	7	37
2014年	8	39	7	38	8	39	9	40	11	41	12	42
2015年	13	44	12	43	13	44	14	45	16	46	17	47
2016年	18	49	18	49	19	50	20	51	22	52	23	53
2017年	24	55	23	54	24	55	25	56	27	57	28	58
2018年	29	0	28	59	29	0	30	1	32	2	33	3
2019年	34	5	33	4	34	5	35	6	37	7	38	8
2020年	39	10	39	10	40	11	41	12	43	13	44	14
2021年	45	16	44	15	45	16	46	17	48	18	49	19

陰陽五行の早見表2

陰陽五行の早見表1で出した数字を次の表から探してみましょう。

そこにある「木」「火」「土」「金」「水」があなたの五行です。

1	2	3	4	5	6	7	8	9	10
木	木	火	火	土	土	金	金	水	水
11	12	13	14	15	16	17	18	19	20
木	木	火	火	土	土	金	金	水	水
21	22	23	24	25	26	27	28	29	30
木	木	火	火	土	土	金	金	水	水
31	32	33	34	35	36	37	38	39	40
木	木	火	火	土	土	金	金	水	水
41	42	43	44	45	46	47	48	49	50
木	木	火	火	土	土	金	金	水	水
51	52	53	54	55	56	57	58	59	60
木	木	火	火	土	土	金	金	水	水

◎プロフィール

（社）日本フラワー風水協会理事長／ジュエリーエネルギーアドバイザー／
宝石風水カウンセラー／幸運研究家　**岡安美智子**

主婦からフラワーアレンジメントで起業しオリジナルの「フラワー風水」を創設する。LA の「オーロラファンデーション」で日本人初のグランプリを受賞。「フラワー風水」に続き「花曼荼羅®」の資格制度を創設し、これまで約 15,000 人の女性たちをサポートする。恋愛、結婚、子育て、起業、離婚など、さまざまな経験を通じ、20 年以上にわたり、講座、講演、個人カウンセリングなどで女性が真に輝く生き方を提唱中。2015 年に株式会社ベルエトワール前代表取締役の岡本憲将氏と出あい、波動に合わせた宝石フィッティングの資格を取得。現在、銀座サロンを拠点に、東洋と西洋の叡智を統合した人生の起業塾「The Flower」を主宰。このほか、女性起業家とともに、大和魂を目覚めさせ自分らしく耀く女性とより良い未来を共創する「1.2.3 プロジェクト活動」を行っている。著書に『宝石ヒーリングカード』（三恵社）、『天使が導く新月の花曼荼羅ワーク』（三恵社）、『ぴかぴかチャクラの玉磨き』（ヒカルランド）、『フラワー風水と花曼荼羅® の持つ力』（三恵社）などがある。

アメブロ　http://ameblo.jp/fusui-michiyo

◎プロフィール

株式会社ベルエトワール代表取締役　ジュエリーエネルギーアドバイザー
岡本 敬人

多くの人を笑顔にしたいという思いのもと音楽活動を行い、1997 年にバンドのヴォーカリストとしてメジャーデビュー。日本武道館や横浜アリーナをはじめとする会場でライブを多数行い、音楽業界の第一線で多岐にわたって活躍する。2010 年に株式会社ベルエトワール前代表取締役であり宝石の伝道師の岡本憲将氏と出あい、宝石が持つ癒しの力に感銘を受け、自身もその価値を多くの人に伝えたいと師事し、ジュエリーエネルギーアドバイザーの資格を取得。これまでに1万人以上の方の宝石フィッティングを行う。 2017 年より株式会社ベルエトワールの代表取締役を引き継ぎ、東京・銀座を拠点に全国でセミナーや体感会を開催するほか、さまざまな業界の方とコラボレーションして宝石の真の価値を伝え、人々を輝かせる活動を行っている。著書に『JEWELLNESS 心と体を癒す宝石の力』（幻冬舎）、『知っておくべき4つの価値　宝石の常識』（双葉社）がある。

株式会社ベルエトワール　https://www.belleetoile.co.jp/

宝石監修　株式会社ベルエトワール

装　幀／飯田裕子
本文イラスト／小瀧桂加
本文組版・図版／アミークス
校正協力／あきやま貴子
編　集／藤井智子・阿部由紀子

宝石風水ですべてうまくいく!

初版1刷発行 ● 2021年9月21日

著者

岡安《おかやす》 美智子《みちこ》

発行者

小田 実紀

発行所

株式会社Clover出版

〒101-0051 東京都千代田区神田神保町3丁目27番地8 三輪ビル5階
Tel.03(6910)0605　Fax.03(6910)0606　https://cloverpub.jp

印刷所

日経印刷株式会社

ISBN978-4-86734-035-6　C0011